AU FIL DES TEMPS

Cahier d'apprentissage **6**^e année

Nom de l'élève : Joanna Chen |602|#9|

LES ÉDITIONS
CEC
Une compagnie de Quebecor Media

Directrice de l'édition
Diane De Santis

Directrice de la production
Danielle Latendresse

Directrice de la coordination
Isabel Rusin

Chargée de projet
Nicole Beaugrand Champagne

Réviseure linguistique
Mélanie Perreault

Conception et réalisation graphique
LE GROUPE
flexidée
COMMUNICATEUR GRAPHIQUE

Réalisation des cartes
Axis communication

Réalisation des pages d'ouverture des escales
Axis communication

Illustrateurs
Irina Pusztai, François Girard

Consultants scientifiques
Alain Beaulieu, professeur au Département d'histoire, Université du Québec à Montréal
Sophie Bélanger, enseignante à la commission scolaire Sorel-Tracy
Martin Bouchard, enseignant en histoire, Département d'histoire-géographie, collège Ahuntsic

Consultants pédagogiques
Julie Blouin, enseignante à l'externat Saint-Jean-Berchmans
Isabelle Leduc, enseignante à l'école Armand-Lavergne

Photo de la page couverture :

J. P. Danvoye/Publiphoto

L'Éditeur tient à remercier pour sa précieuse collaboration M. Donald Jeannotte, coordonnateur à la Recherche pour le Conseil tribal Mi'gmaq Mi'gmawei Mawiomi.

© 2003, Les Éditions CEC inc.
9001, boul. Louis-H.-La Fontaine
Anjou (Québec) H1J 2C5

Dépôt légal : 2e trimestre 2003
Bibliothèque nationale du Québec
Bibliothèque nationale du Canada

ISBN 978-2-7617-1918-6

Imprimé au Canada
11 12 13 14 13 12 11 10

Abréviations utilisées

ANC : Archives nationales du Canada
BNQ : Bibliothèque nationale du Québec
MEQ : Ministère de l'Éducation du Québec

GÉOGRAPHIE, HISTOIRE ET ÉDUCATION À LA CITOYENNETÉ
3ᵉ CYCLE DU PRIMAIRE

AU FIL DES TEMPS

Lucie Parent • Anne-Catherine Lafaille

en collaboration avec
Nicole Beaugrand Champagne

Cahier d'apprentissage **6**ᵉ année

LES ÉDITIONS
CEC
Une compagnie de Quebecor Media

9001, boul. Louis-H.-La Fontaine, Anjou (Québec) Canada H1J 2C5
Téléphone : 514-351-6010 Télécopieur : 514-351-3534

TABLE DES MATIÈRES

Un voyage au fil des temps 5

ESCALE 1

LE QUÉBEC DE 1900 À 1960 6-7

Un coup d'œil sur...
Les événements qui ont contribué
à façonner le Québec 8-9

THÈME 1 De la prospérité à la Crise 10
La Belle Époque 11
La Première Guerre mondiale 14
Le Québec des Années folles 17
La grande Crise 18
Carte postale 21

THÈME 2 Des années troublées 22
La Deuxième Guerre mondiale 23
La prospérité retrouvée 25
La Grande Noirceur 27
Carte postale 31

ESCALE 2

LE QUÉBEC DE 1960 À 1980 32-33

Un coup d'œil sur...
Les événements qui ont transformé
le Québec entre 1960 et 1980 34-35

THÈME 1 Le territoire québécois 36
Le visage physique du Québec 38
Le visage humain du Québec 42
Carte postale 45

THÈME 2 Une société en marche
vers la modernité 46
La Révolution tranquille 47
Les lendemains de la Révolution tranquille 52
Les années 1970 55
Québec ou Ottawa ? 57
Le Québec des années 1980 60
Carte postale 64

ESCALE 3

LA SOCIÉTÉ QUÉBÉCOISE
ET L'APARTHEID VERS 1980 66-67

Un coup d'œil sur...
Le respect et le non-respect
des droits et libertés 68-69

THÈME 1 Portrait de la société
sud-africaine vers 1980 70
Le visage physique de l'Afrique du Sud 72
Le visage humain de l'Afrique du Sud 73
Les activités économiques 76
L'apartheid au quotidien 78
Carte postale 81

THÈME 2 Liberté, égalité et fraternité
au quotidien 82
Liberté, égalité, fraternité 84
La liberté 85
L'égalité 88
La fraternité 89
Carte postale 91

ESCALE 4

LES MICMACS ET LES INUITS VERS 1980 92-93

Un coup d'œil sur...
Le mode de vie des Micmacs
et des Inuits vers 1980 94-95

THÈME 1 Les Micmacs, peuple de la mer 96
Territoire ancestral et réserves modernes 97
La population 97
La survie du peuple micmac 99
Les croyances religieuses 100
Des activités économiques modernes 102
Carte postale 104

THÈME 2 Les Inuits, peuple du Nord 105
Le territoire ancestral 106
Partage du territoire 107
La population 109
Entre tradition et modernité 110
Les croyances religieuses 110
Les activités économiques 112
Carte postale 116

THÈME 3 Micmacs et Inuits, peuple
de la mer et peuple du Nord 117
Les premiers habitants du Canada 118
Droits territoriaux et pouvoir politique 118
Difficultés économiques 118
Cultures en danger 119
Carte postale 123

Glossaire 124

Vignettes à découper 125

Démarche d'apprentissage

Pour te guider dans ton apprentissage, tu verras régulièrement dans la marge les symboles suivants qui correspondent aux trois étapes de la démarche d'apprentissage.

Au début de chaque escale, un projet te proposera de faire appel à tes connaissances et à tes compétences dans le cadre d'une production. Au fil de tes lectures, tu pourras surligner dans le cahier les éléments qui pourraient t'aider à le réaliser.

À la fin de chaque thème, une carte postale te permettra de faire la synthèse de tes découvertes au cours du thème.

Je m'appelle Nadia et voici mon cousin, David. Nous adorons les voyages, nous avons donc décidé d'explorer le passé.

Au cours de ce voyage au fil des temps, nous allons découvrir comment vivaient les gens à d'autres époques ou dans d'autres sociétés. Des rubriques te permettront de découvrir de nouveaux horizons.

Des faits, des histoires susciteront ton intérêt.

Des mini-projets te seront proposés afin de développer tes compétences.

Cette rubrique t'aidera à établir des liens entre le territoire, la société, certains personnages et certains événements. Ainsi, tu pourras interpréter les changements survenus et t'ouvrir à la diversité des sociétés.

La définition de certains mots dans leur contexte apparaîtra dans la marge.

Ce pictogramme te signalera les outils qui peuvent t'aider à réaliser certaines activités.

ESCALE 1

Le Québec de 1900 à 1960

PROJET

Nous te proposons de faire revivre le Québec de 1900 à 1960 en recréant les périodes importantes qui ont marqué son histoire.

Ces périodes sont la Belle Époque, la Première Guerre mondiale, les Années folles, la grande Crise, la Deuxième Guerre mondiale et l'après-guerre appelée la «Grande Noirceur».

Avec tes camarades, tu peux illustrer ces différentes périodes au moyen d'une bande dessinée ou d'un album, d'un diaporama ou encore avec des affiches commentées.

Si tu le désires, tu peux insérer une copie de ta production dans ton portfolio.

UN COUP D'ŒIL SUR...

Les événements qui ont contribué à façonner le Québec

Découpe les vignettes de la page 125. Dans la case reliée par un trait à la ligne du temps, colle la vignette appropriée. Écris les légendes qui manquent.

La première vague importante d'immigration anglaise est formée de Loyalistes en provenance des États-Unis.

L'Acte d'Union unit le Haut et le Bas-Canada sous l'autorité d'une seule Chambre d'assemblée.

1840

1760

1776-1784

1760 — **1780** — **1800** — **1820** — **1840**

1792

Confederation Life

La première Chambre d'assemblée siège : c'est le début du parlementarisme.

1825

La canalisation du Saint-Laurent et de certains cours d'eau facilite la navigation et permet de se rendre jusqu'aux Grands Lacs.

1850

ANC-C30776

Le chemin de fer est un moyen de communication rapide pour l'époque.

J'ai préparé un petit jeu pour t'aider à te souvenir des événements importants qui ont marqué l'histoire du Québec de la Nouvelle-France à nos jours.

_____

_____

_____

_____

Le Premier ministre du Québec, Maurice Duplessis, incarne le conservatisme.

La Première Guerre mondiale éclate en Europe.

ALASKA

OCÉAN PACIFIQUE

TERRITOIRES DU NORD-OUEST

Baie d'Hudson

TERRE DE RUPERT
(Compagnie de la baie d'Hudson)

Colonie de la Rivière-Rouge

TERRE-NEUVE

I.-P.-É.

QUÉBEC   N.-É.
         N.-B.
ONTARIO

OCÉAN ATLANTIQUE

ÉTATS-UNIS

0   650 km

Dominion du Canada
Colonies britanniques
Territoires britanniques

1867

ANC-C82972

1914

ANQ

1944

| 1860 | 1880 | 1900 | 1920 | 1940 | 1960 |

1929

Glenbow Archives

1939

Hydro-Québec

1960

La grande Crise plonge des centaines de milliers de gens dans la misère.

La Deuxième Guerre mondiale est déclenchée en Europe.

Les profondes transformations de la Révolution tranquille font du Québec une société moderne.

9

Malgré la modernisation de l'économie au Québec,
la société québécoise demeure traditionnelle et conservatrice.

PRÉPARATION

Le Québec dans le Canada

> Des événements heureux et des événements tragiques vont bouleverser le monde. Tout change, le Québec aussi.

1 Sur la carte ci-dessous, colorie le Québec en vert.

Le Québec dans le monde

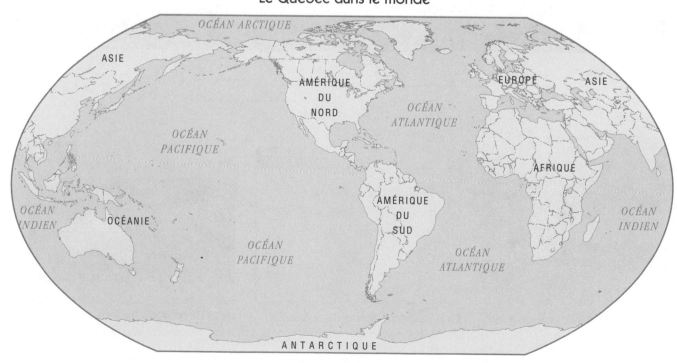

Le Journal de la Belle Époque

Le monde industriel en ébullition

On désigne en général la période qui s'étend du début du 20e siècle à la Première Guerre mondiale de 1914 sous le nom de «Belle Époque». Dans les pays industrialisés, l'économie est en pleine croissance, les inventions se multiplient, la science fait des pas de géant. Les conditions de vie des gens s'améliorent. C'est une période de prospérité.

Le carburant de l'industrie

Le pétrole était utilisé au siècle précédent comme combustible pour l'éclairage. Au 20e siècle, il devient le carburant de l'économie. Sans lui, les automobiles, les avions, les machines dans les usines ne peuvent fonctionner.

En route !

Un pionnier de l'industrie automobile, l'Américain Henry Ford, produit dans ses usines des voitures que les gens de la classe moyenne peuvent acheter. La plus célèbre de ces automobiles est le «Modèle T» construit en série à partir de 1908.

Louis Pasteur

En France, Louis Pasteur découvre grâce à son microscope des petits organismes invisibles à l'œil nu. Ce sont les «microbes», qui sont la cause de bien des maladies. Il se rend compte aussi qu'en chauffant le lait on détruit les petits organismes qui rendent les gens malades. Cette technique, la pasteurisation, est encore utilisée aujourd'hui. Un jour, il sauve de la mort un enfant qui avait été mordu par un chien enragé. Pasteur vient de trouver le vaccin contre la rage.

La découverte de l'insuline

Sir Frederick Banting, Charles Best, J.J.R. Macleod et J.B. Collip, chercheurs à l'Université de Toronto, découvrent l'insuline en 1921-1922. L'injection d'insuline sauve la vie des personnes atteintes de diabète.

Un sport national

Le sport occupe une place de plus en plus importante dans la vie des gens. Au Québec, on assiste à des matchs de hockey sur glace.

La bicyclette

La bicyclette telle qu'on la connaît aujourd'hui facilite les déplacements à la campagne comme à la ville. Elle n'est pas seulement un moyen de transport, c'est aussi un sport, une activité récréative.

Un rêve réalisé

Orville et Wilbur Wright ont réussi à faire voler leur avion, le *Flyer*, le 17 décembre 1903. Grâce aux frères Wright, l'homme réalise un grand rêve: il peut maintenant voler. C'est le début d'une grande aventure qui mènera peut-être les humains jusque sur la Lune.

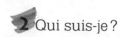

J'éclaire les maisons, je fais rouler les automobiles et voler les avions.	*le pétrole*
Grâce à notre découverte, les diabétiques peuvent vivre normalement.	*Sir Frederick Banting, Charles Best, J.J.R. Macleod, J.B. Collip*
Nous avons permis à l'homme de réaliser un grand rêve.	*les frères Wright*
J'ai un jour sauvé un enfant qui avait été mordu par un chien enragé et j'ai mis au point un vaccin contre la rage.	*Louis Pasteur*
Par cette technique, en chauffant le lait, les petits organismes qui rendent les gens malades sont détruits.	*la pasteurisation*
Je suis un pionnier de l'industrie automobile.	*Henry Ford*
Je suis un appareil mis au point par les frères Wright.	*l'avion*
Je suis un sport très populaire au Québec.	*l'hockey sur glace*
Je suis un moyen de transport, mais je te permets aussi de faire de belles randonnées.	*le vélo la bicyclette*
Je suis produite en usine et les gens de la classe moyenne peuvent m'acheter.	*Un automobile*
Je suis un traitement contre le diabète.	*l'insuline*
Dans mon microscope, j'ai découvert des microbes responsables de nombreuses maladies.	*Louis Pasteur*

le bon vieux Québec !

La société québécoise de la Belle Époque

En 1900, le Canada est un pays neuf, dont la population s'accroît rapidement. Il connaît une période d'expansion économique sans précédent. Au Québec, l'industrie manufacturière et l'exploitation des matières premières comme le bois et les métaux sont les industries les plus importantes. Montréal est la **métropole** du Canada. Sa situation géographique en fait le principal port d'exportation vers l'étranger des produits canadiens et du blé des Prairies.

Malgré une économie en plein essor, la société canadienne-française traversera les grands bouleversements de la première moitié du 20e siècle sans beaucoup se transformer. Le Québec s'industrialise et s'urbanise. Au point de vue social cependant, la société québécoise demeure profondément conservatrice et très peu réceptive aux idées **libérales** et modernes.

métropole : centre industriel et financier, ville importante.

(idées) libérales : idées de tolérance, d'ouverture sur le monde.

Elle tente de préserver son identité culturelle et sa langue française en se repliant sur elle-même. Jusque dans les années 1960, elle continue, encouragée par son clergé, à être attachée aux valeurs rurales du siècle précédent : soumission à l'autorité paternelle et à celle de l'Église, défense de la famille, notion de sacrifice au profit de la collectivité, solidarité. La participation du Québec à la modernité est surtout économique.

La fin de la Belle Époque

Au cours de ces années, les habitants du Québec, du Canada et des autres pays industrialisés croient facilement que la prospérité qui accompagne l'économie florissante de la Belle Époque va durer toujours. Malheureusement, le déclenchement de la Première Guerre mondiale en 1914 va mettre fin à ces illusions.

En 1906, Ernest Ouimet ouvre, à Montréal, le premier cinéma du Canada. Il l'appelle le Ouimetoscope. Cette distraction populaire est condamnée par le clergé, car on projette des films le dimanche, qui est considéré comme le « Jour du Seigneur »

Les grands paquebots

Au début du 20ᵉ siècle, le moyen de transport privilégié entre l'Europe et l'Amérique est le paquebot. Ces grands bateaux sont des chefs-d'œuvre de la technologie de l'époque. Ils peuvent transporter près de deux mille passagers à la fois et font la traversée de l'Atlantique en moins d'une semaine. Les gens très fortunés voyagent en première classe dans un luxe époustouflant. Les immigrants qui viennent chercher une vie meilleure en Amérique voyagent en troisième classe dans des conditions beaucoup plus modestes. Le plus célèbre de ces grands paquebots est le *Titanic*. Il est très rapide et ses constructeurs le croient insubmersible. Malheureusement, dans la nuit du 15 avril 1912, au cours de son premier voyage entre l'Angleterre et New York, le grand paquebot heurte un énorme iceberg au large de Terre-Neuve. Il coule en quelques heures, entraînant dans la mort plus de 1500 personnes.

Deux ans plus tard, par une nuit d'épais brouillard, sur les eaux froides du fleuve Saint-Laurent, un autre grand paquebot, l'*Empress of Ireland*, est heurté par un bateau. Il sombre en moins de quinze minutes au large de Pointe-au-Père, près de Rimouski, faisant plus de 1000 victimes.

3 En utilisant la couleur appropriée, associe chaque énoncé ci-dessous à un aspect économique moderne ● ou à un aspect social conservateur ● de la société québécoise.

- Montréal est le principal port d'exportation des produits canadiens vers l'étranger.
- Beaucoup de Québécois sont peu réceptifs aux idées libérales et modernes.
- Le Québec s'industrialise et s'urbanise.
- La société québécoise reste attachée aux valeurs rurales du siècle précédent.

4 Quel événement met fin à la Belle Époque ?

La Première Guerre Mondiale en 1914

ESCALE 1 · De la prospérité à la Crise

La Première Guerre mondiale

Les gens des pays industrialisés croyaient que la modernité, qui caractérise la Belle Époque, allait les préserver du malheur. Ils sont bouleversés quand la Première Guerre mondiale est déclenchée. De grandes tensions existent en Europe. D'un côté, l'Empire allemand essaie d'agrandir son territoire avec l'aide de ses alliés. De l'autre, la France, l'Angleterre et la Russie se méfient de la puissance de l'Empire allemand. Ces trois pays s'unissent pour former la Triple-Entente, ce qui veut dire qu'en tant que pays amis, ils promettent de s'aider en cas de conflit armé. Plusieurs autres pays se joindront à eux.

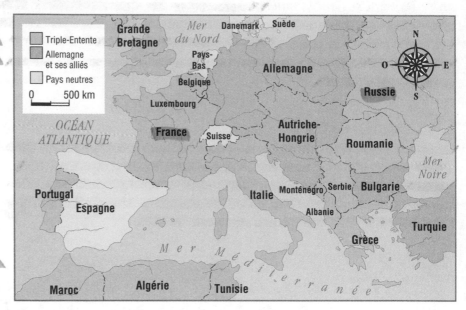

L'Europe en 1914

En juillet 1914, la guerre éclate en Europe entre les pays de la Triple-Entente et l'Allemagne et ses alliés. Le jeu des alliances entre différents pays du monde entraîne beaucoup de nations dans le conflit. La guerre devient rapidement mondiale. Les colonies des pays européens engagés dans le conflit participent aussi à la guerre. C'est ainsi que le Canada, qui est une colonie de l'Angleterre, participera au conflit. Les principaux champs de bataille sont en France, en Belgique et en Russie. Des batailles sont aussi livrées en Afrique, en Asie et au Moyen-Orient.

Le Canada et le Québec en guerre

Le Canada participe à la guerre en tant qu'allié de l'Angleterre. Le gouvernement fédéral envoie au front des troupes de soldats engagés volontairement. Les Canadiens français sont plus réticents à s'enrôler que ne le sont les anglophones. L'armée canadienne n'est pas très accueillante pour eux, car tout s'y déroule en anglais. Le recrutement devient difficile et le gouvernement impose la conscription à travers le pays, c'est-à-dire le service militaire obligatoire. Malgré leurs protestations, un demi-million de Canadiens français et de Canadiens anglais vont se battre en Europe. Plus de 60 000 d'entre eux meurent sur les champs de bataille.

5 **a)** Pourquoi la Triple-Entente est-elle nommée ainsi ?

Parce que c'est une alliance entre trois pays

b) Quels pays en font partie ?

Il y a la France, l'Angleterre et la Russie

c) Qui est opposé à la Triple-Entente ?

C'est l'Allemagne et ses alliés

6 Où se déroule principalement la Première Guerre mondiale ?

En France, en Belgique et en Russie.

7 **a)** On dit que cette guerre est mondiale. Selon toi, y a-t-il eu des combats en Amérique ?

Non, aucun combat a lieu en Amérique

Les femmes travaillent dans les usines d'armement. Ici, une usine de munitions à Verdun au Québec en 1916.

ANC PA24436

b) Les Canadiens ont-ils participé à cette guerre ? Si oui, pourquoi ?

Oui, à cause de la conscription
À cause que le Canada aie une colonie de l'Angleterre.

c) Pourquoi beaucoup de Canadiens français sont-ils réticents à s'enrôler ?

1- Tout se déroule en Anglais
2- Ils ne sont pas intéressés à faire partie de l'armée canadienne

La première des guerres modernes

La technologie de l'époque est mise au service de la guerre. On y utilise des moyens de destruction «améliorés» comme des avions pour bombarder l'ennemi, des chars d'assaut et des fusils plus performants, des camions pour transporter des soldats ainsi que des automobiles comme ambulances pour les blessés. On a aussi mis au point des gaz mortels qui ont fait des milliers de morts et de blessés. Pour se mettre à l'abri de l'ennemi entre les batailles, les soldats passent de longues périodes dans des **tranchées**, dans des conditions extrêmement pénibles.

À étudier !

tranchée : fossé long et étroit creusé dans le sol.

8 Observe la photo ci-contre. Selon toi, comment vivaient les soldats dans les tranchées? Pouvaient-ils manger et dormir confortablement?

Non, entre les batailles, les soldats passent de longues périodes dans les tranchées.

1) Les conditions sont extrêmement pénibles

2) Ils dorment peu et mal

3) Ne mangent pas souvent de repas chauds.

Deux soldats canadiens prenant leur repas dans les tranchées durant la Première Guerre mondiale.

ANC-PA157

La fin de la Première Guerre mondiale

Les Américains, alliés de la France et de l'Angleterre, entrent en guerre à leur tour en 1917. Ils représentent le salut pour les armées fatiguées qu'ils viennent aider. Le 11 novembre 1918, l'Allemagne capitule et signe l'armistice, ce qui met fin à la guerre. On célèbre aujourd'hui cet événement tous les 11 novembre, Jour du Souvenir.

La Première Guerre mondiale a mis fin aux illusions des pays industrialisés. Les gens prennent conscience que les progrès de la science et de la technologie peuvent être détournés de leur but premier et être mis au service de la destruction.

9 Combien de temps dure la Première Guerre mondiale?

4 ans

10 En quelle année le Canada acquiert-il son indépendance? Comment se nomme l'association des anciennes colonies britanniques?

En 1931

le Commonwealth britannique

verso!

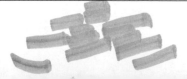

Le Québec des Années folles

La prospérité

La prospérité que connaissent le Québec et le Canada depuis la fin du 19e siècle se poursuit. La Première Guerre mondiale a favorisé la création de nouvelles industries et stimulé la production. Les années qui suivent la guerre sont qualifiées de «folles», parce que ce sont des années d'abondance où l'économie s'emballe. Les gens, qui avaient subi des privations durant les quatre années de la guerre, investissent et dépensent sans compter.

En route vers la modernisation

Le Québec suit le mouvement de la prospérité. L'urbanisation s'accélère, les campagnes continuent à se dépeupler, Montréal grandit et s'affirme comme métropole du Canada. Elle est désormais la deuxième ville de langue française du monde, après Paris. Le développement hydroélectrique favorise la mise sur pied d'une nouvelle industrie : la transformation de l'aluminium, qui va devenir l'élément le plus dynamique de l'industrie québécoise. L'industrie des pâtes et papiers est en plein essor et les usines se multiplient à travers le Québec. De nouvelles régions sont également ouvertes au développement industriel : la Mauricie, le Saguenay et l'Abitibi, que le Québec vient d'acquérir et dont on exploitera les abondantes ressources minières du sous-sol. De nouvelles villes naîtront dans ces régions autrefois presque uniquement habitées par les Amérindiens. L'agriculture se spécialise et se modernise, plus particulièrement l'industrie laitière.

Cette période de croissance économique «folle» est cependant très dépendante de l'économie américaine. Les filiales d'entreprises américaines au Québec et au Canada se multiplient. Les États-Unis sont le plus important client du Québec. Cela explique que, lorsqu'en 1929 la Bourse de New York s'effondre, le Québec va se ressentir énormément de la crise économique américaine. Il entrera dans une phase de dépression économique sans précédent qui sera accompagnée d'une grave crise sociale.

Le centre-ville de Montréal en 1929.

ANC-PA44338

L'usine d'aluminium à Arvida au Saguenay en 1928.

ANC-PA15582

11 Complète les phrases avec les mots suivants:

l'économie américaine – l'industrie laitière – industriel – pâtes et papiers – Québec – ressources minières

Les usines, dont celle des *ressources minières* se multiplient à travers le *Québec*.
De nouvelles régions sont également ouvertes au développement *industriel*.
On exploitera en Abitibi les abondantes *pâtes et papiers*. L'agriculture se spécialise
et se modernise, plus particulièrement *l'industrie laitière*. Cette période de croissance
économique est cependant très dépendante de *l'économie américaine*.

12 Est-ce que l'établissement d'usines en régions a une incidence sur l'organisation sociale et territoriale du Québec? Justifie ton point de vue.

Oui, les industries ont crée des villes et des régions.

13 Qu'est-ce qui mettra fin à cette période de prospérité?

Le krash de la Bourse de New York le 24 octobre 1929

La grande Crise

La période de prospérité des Années folles prend fin le 24 octobre 1929 lorsque se produit le krach de la Bourse de New York. Au Québec, le secteur industriel des richesses naturelles est durement touché. Les États-Unis n'ont plus les moyens d'acheter les produits québécois, en particulier dans le domaine des pâtes et papiers. Les faillites des entreprises se multiplient et entraînent la mise à pied des ouvriers. Les pays européens sont aussi touchés par la Crise. Ils réduisent leurs importations de blé dont le prix baisse dramatiquement. L'impact est considérable sur Montréal, car son économie est très dépendante du boom céréalier de l'ouest du Canada. Le nombre des faillites ne cesse d'augmenter, entraînant des milliers de familles dans la misère.

Les secours directs

Les institutions de charité sont débordées tant la misère est grande. L'État doit jouer un rôle économique et social plus important. Le gouvernement décide donc d'intervenir afin de combattre la misère et relancer l'économie. Pour employer les chômeurs, il entreprend des travaux publics, comme la réfection des routes. Il offre une aide financière aux familles dans le besoin. Avec les encouragements du clergé, il incite les gens à retourner à la pratique de l'agriculture. Il ouvre même des terres à la colonisation. Cette grande Crise se terminera avec la Deuxième Guerre mondiale.

SAVAIS-TU...

Le krach de la Bourse de New York est appelé «jeudi noir». C'est en effet un jeudi d'octobre 1929 que les cours de la bourse ont perdu beaucoup de valeur. Cela a provoqué la ruine immédiate de gens extrêmement fortunés. Ce jeudi noir marque la fin de la prospérité et le commencement d'une très grave crise économique et sociale pour tous les pays industrialisés, y compris le Canada. Cette crise durera dix ans.

14 Le krach boursier de New York provoque une crise économique au Québec. Complète le diagramme avec les expressions suivantes.

Faillite d'entreprises au Québec — Mises à pied d'ouvriers — Misère pour des milliers de familles

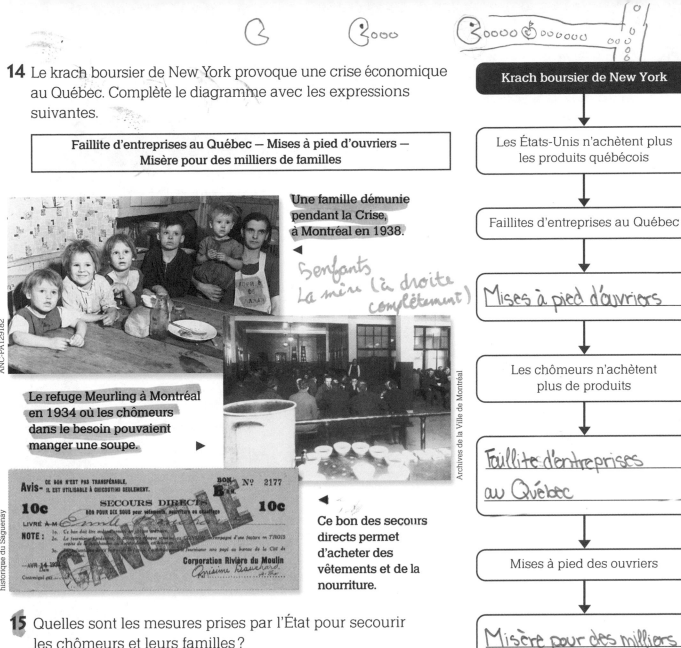

Une famille démunie pendant la Crise, à Montréal en 1938. ◄

Handwritten: 5enfants / La mère (à droite complètement)

Le refuge Meurling à Montréal en 1934 où les chômeurs dans le besoin pouvaient manger une soupe. ►

ANC-PA129182

Archives de la Société historique du Saguenay

Archives de la Ville de Montréal

Ce bon des secours directs permet d'acheter des vêtements et de la nourriture. ◄

Krach boursier de New York

↓

Les États-Unis n'achètent plus les produits québécois

↓

Faillites d'entreprises au Québec

↓

Mises à pied d'ouvriers

↓

Les chômeurs n'achètent plus de produits

↓

Faillite d'entreprises au Québec

↓

Mises à pied des ouvriers

↓

Misère pour des milliers de familles

15 Quelles sont les mesures prises par l'État pour secourir les chômeurs et leurs familles ?

1) *Mise en chantier de travaux publics*
2) *Aide financière aux familles dans le besoin.*
3) *Retour à la pratique de l'agriculture*
4) *Réouverture des terres à la colonisation*

En bref

La société québécoise, tout en demeurant profondément conservatrice, ne peut rester à l'écart de ce qui se passe dans le monde. Son économie est influencée par les divers événements mondiaux. Durant les « Années folles », le Québec connaît une certaine prospérité. L'exploitation des richesses naturelles et la production d'hydroélectricité contribuent au développement de plusieurs industries dans différentes régions. Cette prospérité est freinée par le krach boursier de New York, car la société québécoise est très dépendante de l'économie américaine.

La technologie moderne est très présente dans nos vies. Elle est souvent le résultat de l'évolution de découvertes et d'inventions vieilles de plus de 100 ans.

16 Colle des coupures de journaux ou de revues qui illustrent des objets modernes qui sont le résultat d'inventions du siècle dernier.

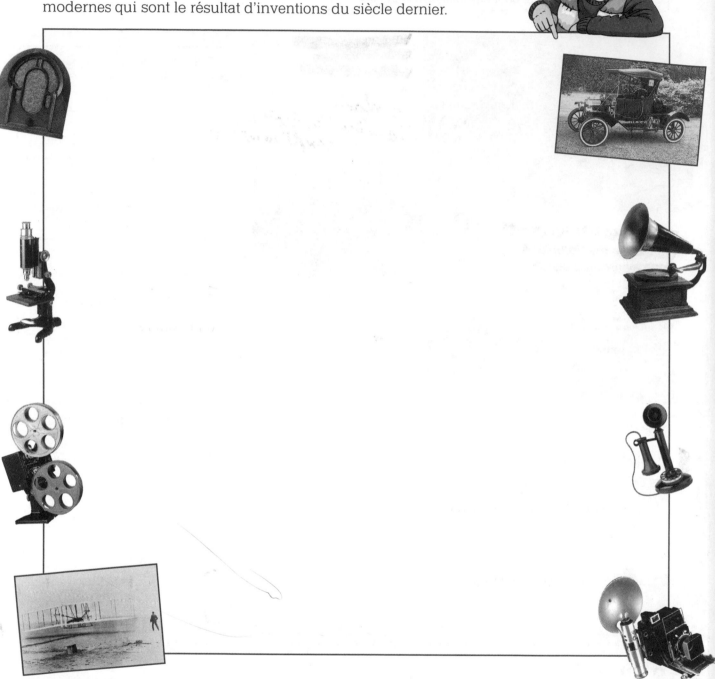

POUR ALLER PLUS LOIN

Fais une recherche sur le dirigeable dont l'usage commercial s'était développé dans l'Atlantique Nord, grâce aux appareils conçus par l'ingénieur allemand Ferdinand von Zeppelin. Ce moyen de transport a été supplanté par l'avion.

CARTE POSTALE

1 Associe chaque période qui a marqué le Québec et le monde à ses caractéristiques en utilisant la couleur appropriée.

 La Belle Époque    Les Années folles   ⬤ La grande Crise

Période	Québec et le monde
⬤	Krach de la Bourse de New York. Misère de milliers de familles. Mise à pied des ouvriers des usines. Mesures prises par l'État pour secourir les chômeurs et leur famille.
⬤	Inventions qui se multiplient. Découvertes scientifiques et médicales. Économie en pleine croissance. Québec : peu réceptif aux idées libérales et à la modernité sauf sur le plan économique.
⬤	Essor industriel. Années de prospérité où l'économie s'emballe : les gens investissent et dépensent. Québec : industrie des pâtes et papiers en plein essor, nouvelles régions ouvertes au développement industriel en pleine croissance, développement d'alumineries grâce à l'hydroélectricité.

2 Inscris sur le filet la lettre correspondant à la date à laquelle les événements suivants se sont produits. Reporte ensuite cette lettre sur la ligne du temps.

a) Le krach boursier et le début de la grande Crise.

b) Le Canada obtient sa pleine indépendance politique.

c) Le début des Années folles.

d) La fin de la Belle Époque.

e) La fin des Années folles.

f) Le début de la Belle Époque.

g) Le début de la Première Guerre mondiale.

h) La fin de la Première Guerre mondiale.

i) La fin de la grande Crise.

1901	f
1914	d, g
1918	h, c
1929	a, e
1931	b,
1939	i

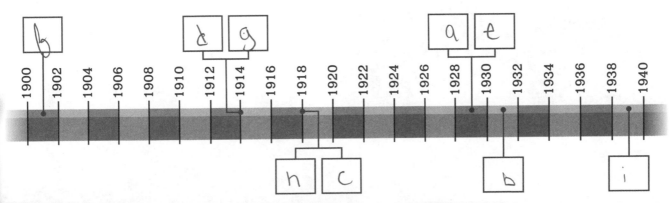

Le monde entier vit des événements dramatiques.
L'économie du Québec se modernise.

PRÉPARATION

Ces grands bouleversements vont aussi changer la vie des gens au Québec. Plusieurs deviennent soldats et vont se battre en Europe. La prospérité retrouvée améliore la vie des gens. Je t'invite à venir regarder les vieilles photos que ma grand-mère m'a prêtées.

La période de 1939 à 1960 sera elle aussi marquée par une guerre.

1 Observe ces photos. Quels sont les changements qui se sont produits entre hier et aujourd'hui ? Choisis celle qui selon toi représente le plus grand de ces changements. Discutes-en avec tes camarades.

Collection particulière

Collection particulière

YA!!

La Deuxième Guerre mondiale

Conséquences de la grande Crise

La crise économique qui a touché les pays industrialisés durant les années 1930 a apporté chômage et misère à des millions de personnes. Que ce soit au Québec, au Canada ou ailleurs dans le monde, les gens veulent en finir avec la pauvreté. Ils sont attentifs aux discours de ceux qui leur promettent un avenir meilleur. Les Européens n'échappent pas à ce mouvement.

En Allemagne, le dictateur Adolf Hitler veut dominer le monde. À la tête du Parti nazi, il fait régner la terreur pour atteindre son but. Il veut particulièrement éliminer tous les Juifs qu'il envoie dans des camps d'extermination. Il veut également se débarrasser des **Tziganes**. Il s'en prend aussi à tous ceux qui ne sont pas d'accord avec lui et les expédie dans des camps de concentration. Il se sert de la crise économique comme tremplin pour convaincre ses concitoyens d'adopter ses idées. Pour avoir le soutien des Allemands, il met en chantier de grands travaux et réussit à éliminer le chômage dès 1936.

Le début de la guerre

Suivant son désir de dominer le monde, Hitler commence par envahir la Pologne en 1939. La France et l'Angleterre, qui sont alliées de la Pologne, déclarent à leur tour la guerre à l'Allemagne. Le Canada, allié de l'Angleterre, entre aussi en guerre. Des milliers de Canadiens iront se battre en Europe. Après quelques mois, la France capitule. L'armée allemande envahit et occupe alors toute la partie nord de la France. Hitler fait régner la terreur là aussi. Il applique à tous les territoires conquis sa politique contre les Juifs. Il envahit plusieurs autres pays d'Europe et se rend jusqu'en Russie et en Ukraine, semant la mort et la destruction sur son passage.

SAVAIS-TU…

Dès 1935, Hitler impose aux Juifs d'Allemagne des mesures discriminatoires. Il les oblige, entre autres, à porter en tout temps sur leurs vêtements une étoile jaune où est inscrit le mot *jude*, qui veut dire juif en allemand.

Tziganes : populations nomades vivant principalement en Europe.

ANC-C87132

Affiche du gouvernement canadien invitant les gens à s'enrôler dans l'armée.

ANC-PA137210

Des soldats canadiens à l'entraînement en 1939.

La guerre est mondiale

L'Allemagne aussi a conclu des alliances avec d'autres pays, dont l'Italie et le Japon. Pour venir en aide à son allié Hitler, le Japon attaque la base militaire américaine de Pearl Harbour dans l'archipel d'Hawaii. Les États-Unis entrent en guerre à leur tour. Les combats font maintenant rage partout en Europe, en Afrique, en Asie, dans le Pacifique et dans l'Atlantique. Des sous-marins allemands ont même attaqué des bateaux le long des côtes canadiennes et dans le fleuve Saint-Laurent.

Des milliers de soldats qui sont morts pendant le débarquement sont enterrés en Normandie.

La fin de la guerre

Le 6 juin 1944, les troupes alliées débarquent sur les côtes françaises. Des milliers de Canadiens, francophones et anglophones, participent au débarquement sur les côtes de Normandie avec les Anglais et les Américains. C'est le début de la fin pour l'Allemagne qui capitule le 8 mai 1945. Les combats sont terminés en Europe, mais se poursuivent en Asie. Au mois d'août suivant, les États-Unis **larguent** deux bombes atomiques sur le Japon, faisant plus de 200 000 victimes. La guerre se termine sur cette effroyable image de destruction.

La Deuxième Guerre mondiale a fait 60 millions de morts dans le monde. Six millions de Juifs ont été exterminés dans les camps de la mort ; on nomme ce **génocide** la *Shoah* ou l'Holocauste. Près de 100 000 Canadiens ont laissé leur vie au cours de cette guerre pour défendre la liberté et la démocratie.

larguer : lâcher.

génocide : destruction de tout un peuple.

SAVAIS-TU...

En octobre 1942, les sous-marins allemands coulent 19 navires dans le fleuve Saint-Laurent. Afin d'éviter d'autres attaques, le gouvernement canadien ferme le golfe et le fleuve Saint-Laurent à la navigation internationale jusqu'en 1944.

2 Indique si les énoncés suivants concernant la Deuxième Guerre mondiale sont vrais ou faux.

	Vrai	Faux
La Deuxième Guerre mondiale débute en 1939.	✓	
La France est le premier pays envahi par l'Allemagne.		✓
Les États-Unis entrent en guerre quand le Japon attaque leur base militaire de Pearl Harbour dans l'archipel d'Hawaii.	✓	
La France et l'Angleterre sont des alliées de la Pologne.	✓	
En octobre 1942, les sous-marins allemands coulent 19 navires dans le fleuve Saint-Laurent.	✓	
La crise économique contribue à convaincre les Allemands d'adopter les idées d'Hitler.	✓	
Le Canada participe à cette guerre en tant qu'allié de l'Angleterre.	✓	
Cette guerre se déroule seulement en Europe.	✓	✓
Six millions de Juifs ont été exterminés dans les camps de la mort.	✓	
Les États-Unis larguent deux bombes atomiques sur le Japon, ce qui met fin à la guerre.	✓	

La prospérité retrouvée

Tout au long des années 1939 à 1945, les pays alliés où il n'y avait pas de combats ont fourni un effort de guerre considérable. En effet, en plus d'envoyer des soldats au front, il fallait les nourrir, les vêtir et les armer. Pour venir en aide aux Alliés, le Canada augmente considérablement sa production. Les centaines de milliers de chômeurs peuvent enfin trouver du travail comme soldats ou comme ouvriers. Les usines tournent à plein régime pour produire des munitions ou des chaussures, par exemple ; au travail, les femmes remplacent les hommes qui sont au front. La population est appelée à recycler tout ce qui peut servir à fabriquer ce dont les armées ont besoin. Certaines denrées sont même **rationnées**, comme le sucre, la farine, le beurre, le tissu, le cuir. Cet effort de guerre permet de relancer l'économie. Le chômage a complètement disparu.

Les années d'après-guerre

Après les terribles années de la grande Crise et de la Deuxième Guerre mondiale, le Québec retrouve une vie normale. Une nouvelle prospérité s'installe. Il y a très peu de chômage, les salaires sont en hausse et le niveau de vie s'améliore. Les naissances se multiplient. Entre 1946 et 1960, deux millions de bébés naissent au Québec, c'est ce qu'on appelle le *baby boom*. Beaucoup d'immigrants sont attirés par la prospérité. La population augmente. Le Québec entre dans l'ère de la consommation.

La demande est très forte pour les appareils électriques, les laveuses automatiques, les réfrigérateurs ou les fers à repasser. On achète aussi des automobiles. La télévision fait son apparition au début des années 1950. Elle ouvrira de nouveaux horizons et fera découvrir de nouvelles façons de vivre.

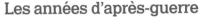
rationner : limiter la quantité que chacun peut utiliser.

Dans les usines, les femmes remplacent les hommes partis au front.

De plus en plus de gens ont le téléphone et la télévision.

POUR ALLER PLUS LOIN

Fais une enquête auprès des gens de la génération de tes grands-parents ou de tes arrière-grands-parents pour savoir ce qu'a représenté l'arrivée de la télévision dans leur vie. Informe-toi aussi pour connaître la façon dont ils vivaient à cette époque qui n'est pas si lointaine.

25

Les richesses naturelles, moteur de l'économie

Montréal est toujours la métropole du Canada et le principal centre industriel du Québec. Sa population grossit rapidement. Plusieurs autres villes, petites ou moyennes, sont aussi en pleine croissance grâce surtout à la forte demande pour les richesses naturelles. Par exemple, à Shawinigan ou à Cap-de-la-Madeleine, l'industrie des pâtes et papiers doit augmenter considérablement sa production pour répondre à la demande en papier journal des États-Unis. Sur la Côte-Nord, l'exploitation des mines de fer entraîne la création de villes nouvelles et la construction de chemins de fer et d'installations **portuaires**. L'industrialisation et l'urbanisation du Québec ne semblent plus vouloir s'arrêter. En 1959, la Voie maritime du Saint-Laurent est ouverte pour remplacer le canal de Lachine devenu trop étroit pour les gros bateaux.

Mais la société de consommation est surtout accessible à ceux qui en ont les moyens. Dans les années 1950, les Canadiens français du Québec continuent d'être plus pauvres que leurs compatriotes anglophones. Ils sont aussi moins instruits. Ainsi, dans les industries québécoises, 80 % des postes de direction sont occupés par des anglophones. Les francophones occupent surtout les postes peu qualifiés, comme ouvriers ou manœuvres.

Pour transporter le minerai de fer, on construit un chemin de fer entre la Côte Nord et le Labrador en 1951.

portuaire : du port.

L'automobile devient de plus en plus populaire.

> ### SAVAIS-TU...
>
> Le phénomène des banlieues naît dans les années 1950. Les familles qui ont maintenant des voitures peuvent vivre plus loin de leur lieu de travail.

3 Décris en trois courtes phrases les changements que la guerre provoque sur

a) le chômage : *Le chômage a complètement disparu. Les femmes travaillaient dans les usines*

b) le travail des femmes : *Les femmes travaillaient dans les usines*

c) la consommation des produits courants comme le sucre, le café et le cuir : *Ces produits sont rationnés*

4 Complète le tableau ci-dessous. Relis au besoin les pages précédentes.

Causes	Changements
Augmentation considérable des naissances. Arrivée de nombreux immigrants.	*Augmentation de la population.*
Grosse demande en papier journal (État-Unis) Augmentation de la production dans l'industrie des pâtes et papier.	
Forte demande pour les richesses naturelles.	*- Développement de nouvelles villes* *-)*
Exploitation des mines de fer sur la Côte-Nord.	*- Construction de chemin de fer.* *- L'installations portuaire.* *- Création de nouvelles villes*

La Grande Noirceur

Au Québec, la période de croissance économique des années de l'après-guerre n'est cependant pas accompagnée de progrès social. C'est plutôt le retour à la tradition. Cette période est même qualifiée de Grande Noirceur. L'Église catholique est toujours **omniprésente** dans la vie quotidienne des gens. Elle est puissante et domine l'éducation, les services sociaux et les hôpitaux. Elle véhicule toujours le même idéal de société. Elle soutient fermement l'attachement à la religion, l'agriculture, la croyance en la famille, le respect et l'obéissance à l'autorité, l'acceptation de son sort sans révolte et sans plainte. Mais plus que tout, l'Église se méfie du progrès. Les hommes politiques au pouvoir s'opposent aux changements et aux transformations rapides de la société causées par l'évolution économique et technique de l'après-guerre.

omniprésent : présent partout.

Les élèves de la chorale du couvent Sainte-Marie à Québec en 1949.

SAVAIS-TU...

En 1943, une loi rend l'école obligatoire pour tous les enfants de 6 à 14 ans. Seule l'école primaire est gratuite. En 1950, moins de la moitié des élèves francophones complètent une 7e année. Moins de 10 % termineront une 11e année, qui correspond au secondaire 5 d'aujourd'hui. Pour beaucoup de jeunes, poursuivre des études est un luxe.

Maurice Duplessis

Depuis 1944, le Premier ministre du Québec est Maurice Duplessis. Il règnera en maître sur la province jusqu'à sa mort en 1959. Cet homme incarne le conservatisme. Il est contre tous les mouvements vers une société plus juste.

Au Québec, Duplessis refuse de moderniser la société. Il n'y a pas assez de routes pour répondre aux exigences de l'économie, mais il ne veut pas que le gouvernement en construise de nouvelles. Les programmes scolaires ne sont pas adaptés aux besoins d'une société moderne et une grande majorité de Canadiens français sont sous-éduqués. Ils obtiennent donc de moins bons emplois. Duplessis est opposé à un système public d'assurance-maladie. Alors, quand les gens sont malades, ils doivent payer le médecin ou l'hôpital pour se faire soigner. Il est aussi contre les syndicats. Les ouvriers québécois ont pourtant des raisons de se plaindre de leur sort. Leurs salaires sont très bas, leurs conditions de vie sont difficiles, malgré la société d'abondance qui les entoure.

Maurice Duplessis.

Du point de vue économique, la société québécoise se modernise tout au long du 20e siècle. Mais elle reste figée dans le passé du point de vue de ses valeurs. Cette situation crée de grandes tensions. Les gens se sentent étouffés par la rigidité et l'**immobilisme** du gouvernement de Duplessis et de l'Église catholique. Toutes ces tensions finiront par éclater au début des années 1960. La période de la Grande Noirceur fera enfin place à la Révolution tranquille.

immobilisme : contre le progrès.

SAVAIS-TU...

En 1948, le gouvernement de Maurice Duplessis adopte le fleurdelisé comme drapeau du Québec.

5 Qui suis-je ?

Je joue un rôle très important dans la société québécoise.	L'Église catholique
Je suis devenu Premier ministre du Québec en 1944.	Maurice Duplessis
Nous sommes opposés aux changements dans la société.	Les hommes au pouvoir
Près de 90 % d'entre nous n'irons pas à l'école après la 11e année.	Les francophones du Québec
Je suis opposé à un système public d'assurance-maladie.	Maurice Duplessis

6 Une image vaut mille mots. Observe attentivement les photos ci-dessous. Selon toi, laquelle est la plus représentative de ce que tu as lu sur l'époque de Duplessis ? Explique · dans tes mots les raisons de ton choix.

Mauri
Jean-Drapeau

La photo de gauche est du temps de Maurice Duplessis

7 Complète le tableau.

Causes	Conséquences
Les Canadiens français sont sous-éduqués.	Ils obtiennent de moins bons emplois.
Duplessis est opposé à un système d'assurance-maladie.	Lorsque les gens sont malades, ils doivent payer l'hôpital ou le médecin
Duplessis est opposé aux syndicats.	Les salaires sont bas et les conditions de vie sont difficiles.

En bref

Le monde subit les atrocités de la Deuxième Guerre mondiale. Le Québec connaît une réelle prospérité économique, mais la société québécoise est toujours maintenue dans un certain conservatisme par ses dirigeants politiques et par l'Église catholique. Bientôt, la Grande Noirceur fera enfin place à la Révolution tranquille.

29

J'ai trouvé cette photo chez mes grands-parents. Comme tu vois, à l'époque, les enfants devaient se rendre à l'école par leurs propres moyens. Pas de transport scolaire, pas d'autobus jaune !

Sur le chemin de l'école en 1956.

J'ai même lu qu'avant 1960, fréquenter l'école secondaire était un luxe. Pas étonnant que les gens qui n'avaient pas les moyens d'aller à l'école devaient se contenter d'un travail mal rémunéré. La situation a bien changé. Aujourd'hui, nous pouvons étudier comme bon nous semble et choisir le métier ou la profession qui nous plaît.

8 À la fin de tes études, quel métier ou quelle profession aimerais-tu exercer ? Que devras-tu faire pour y arriver ? Complète le tableau suivant.

Métier ou profession	
Études nécessaires	
Avantages de ce métier ou de cette profession	
Désavantages de ce métier ou de cette profession	

CARTE POSTALE

1 Complète les énoncés ci-dessous à l'aide des mots cachés de la grille.

A	L	L	E	M	A	G	N	E	E	N	T	N
N	A	T	B	É	B	É	S	U	C	D	É	O
G	P	O	L	O	G	N	E	F	O	U	L	I
L	R	E	J	A	P	O	N	E	P	P	É	R
E	L	F	R	A	N	C	E	R	E	L	V	C
T	L	A	T	O	M	I	Q	U	E	E	I	E
E	C	R	I	S	E	D	V	I	E	S	S	U
R	É	G	L	I	S	E	B	A	S	S	I	R
R	U	R	B	A	N	I	S	A	T	I	O	N
E	É	C	O	N	O	M	I	E	E	S	N	S

En 1939, Hitler, qui dirige l'Allemagne, envahit la Pologne, alors la France et l'Angleterre lui déclarent la guerre. Hitler a exterminé les Juifs. Il a commis un génocide. La Deuxième Guerre mondiale prend fin en août 1945, quand les Américains larguent à deux reprises une bombe atomique sur le Japon. La guerre met fin à la crise et relance l'économie du Québec. Dans les années qui suivent, l'industrialisation et l'urbanisation ne semblent plus vouloir s'arrêter. Sur la Côte-Nord, l'exploitation des mines de fer entraîne la création de nouvelles villes. La population québécoise augmente grâce à l'arrivée de nombreux immigrants et à la naissance de milliers de bébés. De 1944 à 1959, le Québec vit une période qualifiée de « Grande Noirceur ». Le premier ministre Duplessis et l'Église sont contre le progrès. Duplessis est contre les syndicats, même si les conditions de vie des ouvriers sont très précaires et leurs salaires très bas. Pour beaucoup de jeunes, la fréquentation de l'école est un luxe à cette époque. L'arrivée de la télévision contribuera à l'évolution de la société québécoise.

2 Avec les lettres qui restent dans la grille, forme un mot et complète la phrase.

Les richesses _naturelles_ du Québec sont le moteur de son économie.

ESCALE 1 · **Des années troublées**

ESCALE 2

Le Québec de 1960 à 1980

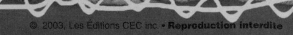

PROJET

Durant les vingt ans qui ont suivi la Révolution tranquille de 1960, le gouvernement québécois a mis en place des institutions qui existent encore aujourd'hui.

Nous te proposons de réaliser, avec tes camarades, une brochure qui portera sur l'une de ces institutions. Tu peux choisir un hôpital, un CLSC, une polyvalente, un cégep, ou encore un barrage hydroélectrique de ta région.

Ta brochure comprendra un bref historique de cette institution : date de sa construction ou de son acquisition par le gouvernement et dates marquant son évolution. Tu y expliqueras aussi les services offerts par cette institution. Illustre ton texte à l'aide de dessins ou de photos.

Cette brochure pourra être mise à la disposition des élèves de l'école afin de leur faire connaître les services qui leur sont offerts.

Si tu le désires, tu peux insérer une copie de ta production dans ton portfolio.

UN COUP D'ŒIL SUR...

Les événements qui ont transformé le Québec entre 1960 et 1980

Élection du Parti libéral. C'est le début de la Révolution tranquille qui transformera le Québec en une société moderne.

L'exposition universelle Terre des Hommes contribura à l'évolution des mentalité à Québec

ANC-PA145477

1960

Nationalisation de l'électricité sous la responsabilité d'Hydro-Québec.

1963

Collection particulière

1967

1960   1962   1964   1966   1968   1970   1972

1962

Les principals personnes engagées dans la révolution tranquille

1964

P. G. Adam/Publiphoto

Les polyvalentes offrent des cours gratuitement

1966

Office du film du Québec

Le métro de Montréal, Moyen de transport rapide et moderne

Observe bien les illustrations. Elles représentent des événements importants qui ont marqué l'histoire du Québec entre 1960 et 1985. Nous découvrirons dans les pages qui suivent comment le Québec est devenu une société moderne.

Au fur et à mesure de tes découvertes, inscris le nom de l'événement dont il est question au-dessus ou au-dessous de l'illustration. Tu devras aussi relier certains événements par un trait à la date appropriée sur la ligne du temps.

Élection du partie Québécois.
(René Lévesque)

Barrage hydroélèctrique Manic 5
d'Daniel Johnson

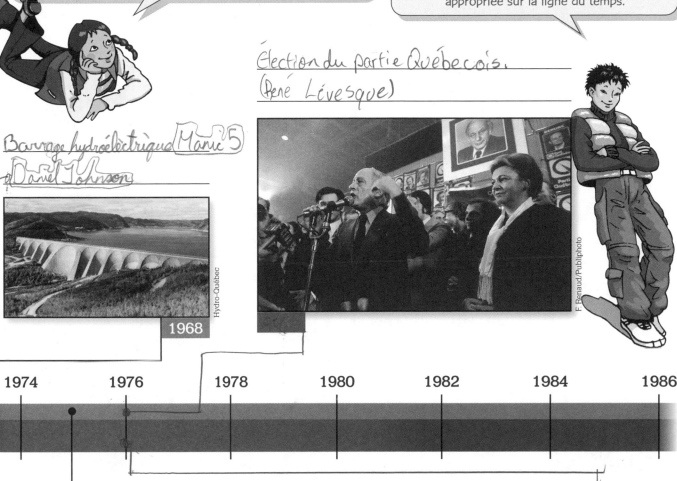

1968

1974   1976   1978   1980   1982   1984   1986

1975

1876

Élection du Parti libéral
dirigé par Robert Bourassa.

Charte québécoise
des droits et libertés de la personne

L'entrée en vigueur de la
charte des droits et liberté
du Québec.

Jeux Olympiques à Montréal.

35

Un très grand territoire plein de richesses.

PRÉPARATION

Les régions physiographiques

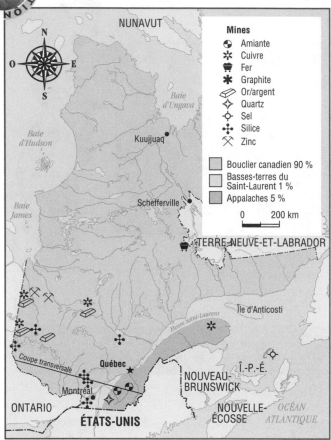

Les zones de végétation et la forêt

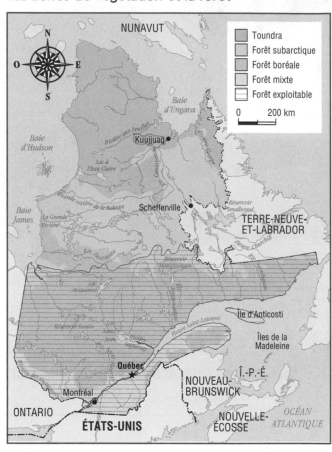

Coupe transversale des régions physiographiques

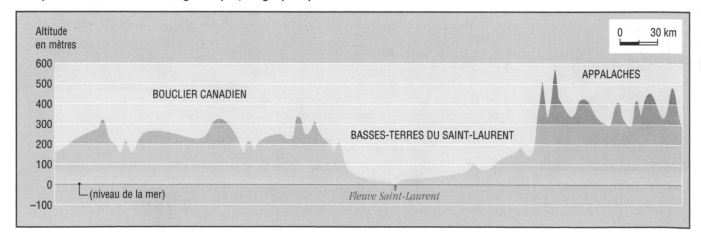

En observant les cartes sur ces pages, on peut établir un lien entre le climat et la végétation. Penses-tu que la situation géographique d'une région a une incidence sur ces deux traits physiques? Explique pourquoi.

Les climats

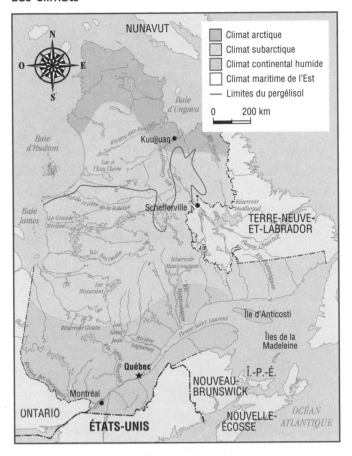

Les principaux cours d'eau et les sols fertiles

Les climats du Québec

CLIMAT ARCTIQUE

- Hivers très longs et très froids
- Étés courts et frais
- Précipitations faibles

CLIMAT SUBARCTIQUE

- Hivers longs et froids
- Étés courts et frais
- Précipitations moyennes

CLIMAT CONTINENTAL HUMIDE

- Hivers plutôt longs et froids
- Étés chauds, humides et plutôt courts
- Précipitations régulières et abondantes

CLIMAT MARITIME DE L'EST

- Hivers plutôt longs et froids
- Étés chauds, humides et plutôt courts
- Températures moyennes plus fraîches que celles du climat continental humide
- Précipitations régulières et abondantes

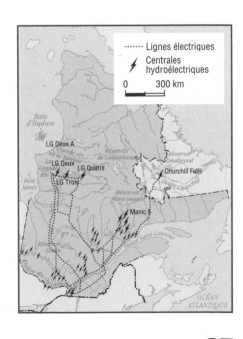

Le visage physique du Québec

Le Québec est la plus grande des dix provinces canadiennes. Le territoire québécois couvre 1 540 680 kilomètres carrés. Il occupe à lui seul 15 % de la superficie totale du Canada. Il est baigné au nord par le détroit d'Hudson et au nord-ouest par la baie d'Hudson. Il partage ses frontières terrestres avec trois autres provinces et quatre États américains. À l'ouest, le Québec est bordé par l'Ontario, à l'est par Terre-Neuve-et-Labrador, au sud-est par le Nouveau-Brunswick. Au sud, il a comme voisins les États de New York, du Vermont, du New Hampshire et du Maine.

Pendant des millions d'années, partout la surface de la Terre a été sculptée par l'eau, le vent, les volcans, les tremblements de terre, les glaciers. Au Québec, les trois principaux ensembles que la nature a créés sont le Bouclier canadien, les basses-terres du Saint-Laurent et les Appalaches.

Vue de la ville de Québec.

1 Si tu compares la superficie du Québec à celle des autres provinces, quelle conclusion peux-tu tirer ?

C'est la plus grande des dix provinces canadiennes.

2 Écris le nom des territoires et des étendues d'eau qui correspondent aux frontières du Québec.

À l'ouest : _Ontario_

Au nord : _Détroit d'Hudson_

Au sud : _les États de New-York, du Vermont, du New-Hampshire et du Maine_

À l'est : _Terre-neuve et Labrador_

Au ~~nord-est~~ nord-ouest : _baie d'Hudson_

Au sud-est : _Nouveaux-Brunswick_

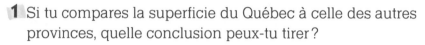

Les monts Torngat dans le Bouclier canadien.

Le Bouclier canadien

Relief et étendues d'eau

Le Bouclier canadien est l'une des plus anciennes formations géologiques du monde. Il couvre plus de 90 % de la superficie totale du Québec. C'est un vaste plateau rocheux parsemé de collines et de quelques sommets atteignant un peu plus de mille mètres. Le cinquième de la superficie du Bouclier canadien est couvert de lacs et de puissantes rivières. Ces rivières constituent une force hydraulique

Plateau rocheux du Bouclier canadien.

importante pour la production d'électricité. À sa limite sud, le Bouclier canadien est bordé par une chaîne de montagnes très anciennes aux collines arrondies par le temps : les Laurentides. Ses nombreux lacs et ses sommets aménagés pour le ski en font une région de villégiature privilégiée.

Climats, sols et végétation

Le Bouclier canadien est tellement grand qu'on y retrouve trois zones climatiques. Dans le nord, c'est le climat ARCTIQUE. L'été y est si court que le sol demeure gelé en permanence, c'est ce qu'on appelle le pergélisol. Seule une mince couche de 50 cm à 80 cm dégèle durant le court été polaire. Des arbustes rabougris, des lichens et des mousses arrivent à pousser sous ce climat. C'est la toundra.

Au centre, s'étend la vaste zone du climat SUBARCTIQUE. Au nord, les arbres sont de petits conifères rabougris et espacés, c'est la forêt subarctique. À mesure qu'on va vers le sud, les conifères deviennent plus grands et plus rapprochés, c'est la forêt boréale.

La partie sud du Bouclier canadien se trouve dans la zone du climat CONTINENTAL HUMIDE. Le sol est couvert de forêts de conifères et de quelques boulcaux. C'est la réserve de bois la plus riche du Québec. Du nord au sud, le sol du Bouclier canadien n'est pas propice à l'agriculture. Seul le sol des régions du Témiscamingue et des basses-terres du lac Saint-Jean est couvert d'une couche de terre fertile. Le sous-sol, par contre, est très riche en minerai de fer, d'or, de cuivre, d'argent, de nickel. On y a même trouvé des gisements de diamants.

3 a) Lis les climatogrammes de Kuujjuaq et de Schefferville, puis complète la phrase.

Schefferville est la ville qui reçoit le plus de précipitations.

b) Indique les températures moyennes de ces villes pour chacun des mois mentionnés ci-dessous.

Mois	Kuujjuaq	Schefferville
Février	−22°C	−20°C
Mai	0°C	0°C
Juillet	11°C	13°C
Novembre	−9°C	−11°C

c) Sur une des cartes de la page 37, situe ces deux municipalités et surligne leur nom.

De l'or en fusion à Val-d'Or.

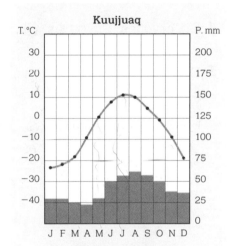

Climat arctique
Nombre de jours sans gel par année : 50

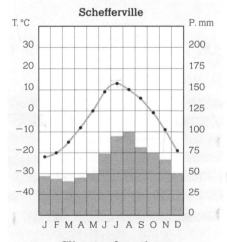

Climat subarctique
Nombre de jours sans gel par année : 80

ESCALE 2 · Le territoire québécois

Végétation:

Toundra

Végétation:

subarctique

Végétation:

Forêt Boréale

4 Observe les photos **A**, **B** et **C** et sous chacune d'elles, indique le type de végétation représenté.

5 D'après toi, quel type de végétation retrouve-t-on à Kuujjuaq et à Schefferville?
Si le type de végétation est différent dans les deux villes, explique pourquoi.

Dans Kuujjuaq, c'est la toundra car c'est le climat arctique mais à Schefferville c'est la forêt boréale parce que son climat est le climat subarctique.

Les basses-terres du Saint-Laurent

Relief et étendues d'eau

Les basses-terres du Saint-Laurent sont situées de chaque côté du fleuve Saint-Laurent. C'est une plaine qui s'étend de Québec jusqu'au sud de Montréal. Le relief plat des basses-terres est brisé par quelques collines, les Montérégiennes. Le mont Royal, sur l'île de Montréal, les monts Saint-Hilaire, Saint-Bruno, Saint-Grégoire ou Rougemont sur la rive sud du Saint-Laurent en font partie. Le principal cours d'eau est évidemment le fleuve Saint-Laurent dans lequel se jettent de nombreuses rivières. Le fleuve et ses affluents contribuent, depuis toujours, au développement et à la prospérité de cette région.

Les basses-terres du Saint-Laurent.

Climat, sol et végétation

Les basses-terres du Saint-Laurent sont situées dans la partie sud de la grande zone du climat CONTINENTAL HUMIDE. La forêt mixte, composée de conifères et de feuillus, recouvrait autrefois l'ensemble de la région. Mais comme cette zone est la plus peuplée du Québec, la forêt a disparu des zones habitées. Le sous-sol des basses-terres renferme peu de ressources naturelles. Cependant, le sol est l'un des plus fertiles au Québec. La superficie des terres agricoles a toutefois sans cesse diminué au fil des années, au profit de l'expansion urbaine. Le gouvernement du Québec a même dû adopter la loi du zonage agricole qui interdit de diviser des terres agricoles pour y construire des habitations.

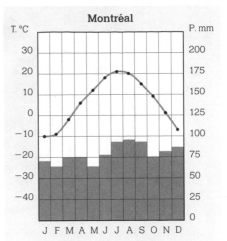

Climat continental humide
Nombre de jours sans gel
par année : 110

6 Les basses-terres du Saint-Laurent est la zone la plus peuplée du Québec. Quels sont les traits physiques qui ont incité les gens à s'y établir ?

Il y a beaucoup de ressource d'eau, la terre est fertile. Le relief plat. le climat

7 Afin d'empêcher la diminution des terres agricoles, quelle loi le gouvernement du Québec a-t-il dû adopter ? Qu'interdit cette loi ?

Le Québec interdit la séparation des terres agricoles pour y construire des habitations. La loi du zonage agricole.

POUR ALLER PLUS LOIN

- Dans les prochains mois, recueille les précipitations dans un contenant et mesure-les en millimètres.

- Fais fondre de la neige, car 1 cm de neige ne correspond pas à 1 cm d'eau. À toi de découvrir l'équivalence.

- Construis un climatogramme et indique le relevé des précipitations enregistrées.

Les Appalaches

Relief et étendues d'eau

La troisième formation géologique du Québec est une longue chaîne de très anciennes montagnes, les Appalaches. Elle s'étend de l'Alabama, aux États-Unis, jusque dans la péninsule gaspésienne. Au Québec, elle commence à s'élever doucement au sud de la province, dans les Cantons-de-l'Est. Ses sommets sont arrondis. Ils ne dépassent pas 1300 m d'altitude et sont entrecoupés de vastes plateaux et de vallées. Au fond de ces vallées coulent des rivières. Leur débit est cependant beaucoup moins puissant que celui des rivières du Bouclier canadien.

C'est pour cette raison qu'on n'y trouve pas de barrages hydroélectriques importants.

Climat, sol et végétation

Les Appalaches sont également situées dans la grande zone du climat CONTINENTAL HUMIDE. Le fond des vallées où coulent les rivières ainsi que les pentes des plateaux renferment des sols fertiles. Les collines sont recouvertes par la forêt mixte à l'exception des monts plus élevés de la Gaspésie qui sont recouverts par la forêt boréale. Dans le sous-sol des Appalaches, on trouve entre autres du cuivre, du plomb, du zinc et de l'amiante.

Tourisme Québec

Tourisme Québec

8 Observe les photos **D** et **E** des Appalaches. Établis un lien entre les activités humaines qui y sont pratiquées et les traits physiques qui les ont favorisées.

Photo	Activité humaine	Trait physique
D	skier	chaîne de montagne
E	l'agriculture	les sols fertiles

Le visage humain du Québec

Un territoire encore très peu peuplé

Le Québec est très vaste, ses paysages et ses climats sont variés, mais il est en revanche peu peuplé. Plus de 80 % de sa population habite dans la vallée du Saint-Laurent. Comme nous venons de le voir, c'est la région où le climat et la fertilité du sol sont les plus propices à l'implantation humaine. C'était vrai pour les colons français au 17e siècle, et cela l'est encore quatre cents ans plus tard. Dans le Grand Nord, la situation est tout autre. À peine quelques milliers de personnes, presque exclusivement des Inuits, y vivent. Les conditions climatiques y sont très rudes et l'agriculture impossible.

Des kilomètres à parcourir

Pour relier les villes et les villages de l'immense territoire du Québec, on a construit des milliers de kilomètres de routes, de ponts et de tunnels. Mais les routes ne se rendent pas partout. Par exemple, il est très difficile, sinon impossible, de construire des chemins permanents sur le pergélisol du Grand Nord. Les seuls moyens de transport pour se rendre dans ces régions sont l'avion ou le bateau. Dans la vallée du Saint-Laurent, le fleuve demeure une voie de communication tout aussi importante qu'au temps de la Nouvelle-France. On a creusé la Voie maritime du Saint-Laurent pour que les bateaux puissent se rendre jusqu'aux Grands Lacs.

SAVAIS-TU...

Le territoire québécois peut contenir trois fois la France ou encore cinq fois le Japon. Pourtant, sa population est beaucoup moins élevée que celle de ces pays.

SAVAIS-TU...

En 1985, l'Assemblée nationale du Québec a reconnu aux nations autochtones du Québec le droit à l'autonomie, à la préservation de leur culture, de leur langue et de leurs traditions. On leur a aussi reconnu le droit de posséder des terres et le droit de chasse et de pêche.

Une société urbaine et francophone

En 1981, le Québec compte près de 6,5 millions d'habitants. Plus de 60 % de cette population vit désormais dans une ville de plus de 100 000 habitants. La plus importante de ces agglomérations est Montréal. Depuis 1970, le Québec accueille chaque année quelque 25 000 immigrants en provenance d'une centaine de pays. En 1980, le quart de la population du Grand Montréal est d'une origine ethnique autre que française ou anglaise. Beaucoup de ces immigrants récents adoptent l'anglais comme langue d'usage. La population anglophone totale représente environ 12 % de la population québécoise. La société québécoise reste francophone dans son ensemble. Pour 82,5 % de sa population, le français est toujours la langue maternelle et la langue d'usage. Les autochtones, quant à eux, ne représentent plus que 1 % de la population totale de la province.

Approvisionnement par avion du village de Salluit.

La Voie maritime du Saint-Laurent.

9 a) Colorie le diagramme circulaire en fonction des populations du Québec en 1981.

Population autochtone : vert
Population francophone : bleu
Population anglophone : rouge

b) Quelle portion du diagramme n'a pas été coloriée? Que représente-t-elle?

45% du diagramme. Ça représente ceux qui sont des immigrants

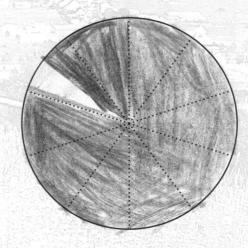

En bref

Le Québec est un vaste territoire comprenant trois régions physiographiques : le Bouclier canadien, les basses-terres du Saint-Laurent et les Appalaches. Chacune de ces régions se distingue des autres par des traits physiques caractéristiques. La majorité de la population québécoise est urbaine et francophone et plus de 80 % des gens vivent dans la vallée du Saint-Laurent.

L'eau est très présente au Québec. Elle a une incidence autant sur les activités récréatives que sur les activités économiques.

10 Indique, sous les photos ci-dessous, si les activités représentées sont des activités récréatives ou économiques. Encercle ou surligne sur les photos les activités que tu pratiques.

P. G. Adam/Publiphoto

économique

P. G. Adam/Publiphoto

récréative

A. Cartier/Publiphoto

récréative

Y. Derome/Publiphoto

récréative

Y. Derome/Publiphoto

économique

11 Penses-tu que les activités récréatives peuvent aussi être des activités économiques ? Justifie ta réponse.

Oui, car la chasse c'est aussi pour se divertir que pour revendre les proies qu'on a abattus.

12 Observe la carte de la page 37 et nomme quelques affluents du Saint-Laurent, c'est-à-dire des cours d'eau qui se jettent dans le Saint-Laurent.

Rivière Saguenay, Rivière St-Maurice et Rivière Manicouagan. Chaudière, des Outaouais, Richelieu, St-François

CARTE POSTALE

1 Les hommes ont organisé le territoire en fonction de ses traits physiques. Indique ce que les photos ci-dessous représentent. En haut de chaque colonne, inscris le nom de la région physiographique dont il s'agit.

Appalaches	Basses-terres du St-Laurent	Bouclier Canadien
P. G. Adam/Publiphoto	*Ville de Montréal*	
un village	une ville	village Inuit
P. G. Adam/Publiphoto	*Tourisme Québec*	
la pêche	l'agriculture	les mines
Collection particulière	*A. Cartier/Publiphoto*	*Hydro-Québec*
marcheur	navigation sur le fleuve St-Laurent	barrage hydroélectrique

2 Qui suis-je?

Je couvre 90 % de la superficie du Québec. ___Bouclier Canadien___

Je suis la zone la plus peuplée du Québec. ___Basses-Terre du St-L___

Je m'étends jusque dans la péninsule gaspésienne. ___Appalaches___

En marche vers la modernité

Le Québec se transforme radicalement et de façon irréversible.

PRÉPARATION

> Mon grand-père m'a prêté ces photos qui datent des années 1960 et 1970.

1 Observe les photos ci-dessous. Compare-les avec celles des années 1940 à 1960 de la page 22. Les photos de cette page ressemblent-elles davantage à notre époque ou à celle des années 1940 à 1960 ? Discutes-en avec tes camarades.

Collection Ribière/Sipa/Ponopresse

Y. Beaulieu/Publiphoto

Image Works/Sipa/Ponopresse

2 Encercle ou surligne l'énoncé qui correspond à ton opinion.

La composition des classes est semblable à celle des années 1940 à 1960.

La composition des classes est semblable à celle d'aujourd'hui.

La mode vestimentaire est semblable à celle d'aujourd'hui.

La mode vestimentaire est semblable à celle des années 1940 à 1960.

La liberté d'opinion est semblable à celle des années 1940 à 1960.

La liberté d'opinion est semblable à celle d'aujourd'hui.

La Révolution tranquille

Le 7 septembre 1959, Maurice Duplessis, Premier ministre du Québec depuis 1944, meurt. Tout au long de ces années de Grande Noirceur, la rigidité et l'immobilisme du gouvernement et de l'Église catholique avaient créé de grandes tensions. Les gens désiraient de réels changements. La mort de Maurice Duplessis marque le début d'une période de grandes transformations.

Dans les années 1960, un vent nouveau souffle sur la société québécoise, celui de la Révolution tranquille. On parle de «révolution tranquille» parce que les changements nombreux et majeurs de cette période se sont faits généralement dans le calme et le respect. Un nouveau système de valeurs se met en place très rapidement. On parle d'égalité sociale et de liberté. L'Église voit son autorité contestée. La société québécoise se transforme.

«C'est le temps que ça change!»

Le Québec connaît une nouvelle prospérité. L'État québécois intervient désormais dans les domaines économique, culturel et social. C'est une nouvelle façon de gouverner qui se met en place. En 1960, le Parti libéral est élu avec le slogan «C'est le temps que ça change!» Son chef, Jean Lesage, devient Premier ministre. Il a comme objectif de moderniser la province. Il veut donner aux francophones les instruments nécessaires pour faire du Québec un État moderne, industriel et développé. Il croit que cela est possible si le gouvernement s'en occupe réellement.

Jean Lesage.

René Lévesque.

En 1962, Hydro-Québec fournit de l'électricité aux habitants de l'île de Montréal seulement. Le reste du Québec est alimenté par des compagnies privées. À l'extérieur de Montréal, les tarifs sont élevés et le service est peu fiable. En 1963, les compagnies privées d'électricité de la province sont achetées par le gouvernement et intégrées à Hydro-Québec. Pour relancer l'économie, le gouvernement crée plusieurs sociétés d'État. Il aide également de nouvelles entreprises québécoises à voir le jour. Des milliers d'emplois sont créés. Comme l'État s'implique maintenant dans plusieurs domaines, il a besoin de beaucoup d'employés. La fonction publique grandit. De nouveaux ministères, qui emploient eux aussi de nombreuses personnes, sont créés.

Rassemblement politique du Parti libéral de Jean Lesage lors de la campagne électorale de 1960.

3 Qui suis-je?

Je suis le Premier ministre associé à la Grande Noirceur.	*Maurice Duplessis*
Je suis le Premier ministre associé à la Révolution tranquille.	*Jean Lesage*
Je suis le ministre responsable de la nationalisation de l'électricité.	*René Lévesque*
Je suis le parti politique élu avec le slogan «C'est le temps que ça change!» et je veux faire du Québec un État moderne, industriel et développé.	*Le parti Libéral.*

4 Est-il exact d'utiliser l'expression «révolution tranquille» pour définir la situation du Québec au début des années 1960? Explique pourquoi.

Oui, car les changements nombreux et majeurs qu'à connus le Québec durant cette période se sont faits généralement dans le calme & le respect.

5 Complète les phrases avec les expressions suivantes:

> d'égalité sociale, l'Église, de liberté, la société québécoise

Dans les années 1960, un vent nouveau souffle sur *la société québécoise*, celui de la Révolution tranquille. On parle *de liberté* et *d'égalité sociale*. *l'Église* voit son autorité contestée.

6 Le Parti libéral veut que l'État québécois prenne en mains son développement. Que fait-il pour relancer l'économie?

Il crée plusieurs sociétés d'États. Il nationalise les compagnies privées d'électricité de la province. Il aide de nouvelles entreprises québécoises à voir le jour.

Les grands travaux

Une économie en plein essor a un grand besoin d'électricité. Le réseau électrique en place ne peut répondre à la demande. Il a lui aussi besoin d'être modernisé. Hydro-Québec entreprend donc la construction de grands barrages hydroélectriques. Sur les puissantes rivières du Bouclier canadien, comme la rivière Manicouagan ou la rivière aux Outardes sur la Côte Nord, on érige de grands barrages qui produiront cette électricité dont le Québec moderne a de plus en plus besoin. Manic 5, sur la rivière Manicouagan, est le plus grand barrage à voûtes au monde. Son architecture unique est un exemple du savoir-faire des ingénieurs québécois.

Un des plus grands barrages hydroélectriques au monde, Manic 5, porte aujourd'hui le nom d'un ancien Premier ministre du Québec, Daniel Johnson.

Hydro-Québec

La demande en électricité ne cesse de croître. En effet, au même moment, on creuse à Montréal les tunnels du premier réseau souterrain de transport public de la métropole, le métro, qui fonctionnera à l'électricité. Comme il y a de plus en plus de travailleurs, le réseau d'autobus n'est plus suffisant pour transporter tous ces voyageurs. Le métro de Montréal accueille ses premiers usagers en 1966, juste à temps pour l'Expo 67.

Terre des Hommes

En 1967, le monde entier vient rendre visite au Québec. En effet, cette année-là, Montréal est l'hôte de l'Exposition universelle. Pour recevoir tous ces visiteurs, on a créé l'île Notre-Dame au milieu du fleuve Saint-Laurent, à côté de l'île Sainte-Hélène. Pour construire l'île Notre-Dame, on a recyclé la terre extraite des tunnels du métro de Montréal. Le site ainsi aménagé s'appelle Terre des Hommes. L'Expo 67 est un tournant décisif dans l'évolution des mentalités au Québec. Pour beaucoup de gens, il s'agit d'un premier contact avec la culture des autres peuples. Ils se rendent compte que, dans d'autres pays, les façons de vivre sont différentes des leurs ; ils découvrent des mets qu'ils ne connaissent pas et apprennent à les apprécier. Ces découvertes changeront leur perception du monde.

Collection particulière

Ce passeport donnait accès à tous les pavillons d'Expo 67.

hôte : personne ou organisme qui donne l'hospitalité.

SAVAIS-TU...

Avant l'Expo 67, il était interdit aux restaurateurs d'aménager des terrasses à l'extérieur. Les clients ne pouvaient manger dehors.

7 Complète le tableau suivant.

Fait	Conséquence
L'économie québécoise est en plein essor et le réseau électrique en place ne peut répondre à la demande en électricité.	Construction de grands barrages hydroélectriques par Hydro-Québec.
À Montréal, le réseau d'autobus n'est plus suffisant pour transporter tous les voyageurs.	Construction du métro de Montréal
L'île Sainte-Hélène n'a pas la superficie nécessaire pour loger tous les pavillons et recevoir tous les visiteurs de l'Expo 67.	Création de l'île Notre-Dame au milieu du fleuve St-Laurent avec la terre extraite des tunnels du métro de Montréal.
Plusieurs Québécoises et Québécois entrent en contact pour la première fois avec la culture d'autres peuples et découvrent des façons de vivre différentes des leurs.	Changement dans la perception du monde qu'ont les Québécois et les Québécoises

8 Hydro-Québec entreprend la construction de grands barrages hydroélectriques dans une région où les puissantes rivières ont un fort débit. Complète la fiche ci-dessous.

Barrage : _Daniel Johnson_

(Manic 5).

Rivière : _Manicouagan_

Région : _Côte-Nord_

Région physiographique :

Le Boudier-canadien

Hydro-Québec

Des soins de santé pour tous

Le gouvernement prend en charge le réseau des affaires sociales. Il achète des hôpitaux qui appartenaient en grande partie à des communautés religieuses et instaure l'assurance-hospitalisation. Dorénavant, les gens peuvent aller à l'hôpital gratuitement, qu'ils soient riches ou pauvres. Plus tard, au début des années 1970, le gouvernement du Premier ministre Robert Bourassa créera un régime public d'assurance-maladie. L'accès pour tous à ce système de santé entièrement public est toujours en vigueur aujourd'hui.

Un ministère de l'Éducation

Dès 1964, le gouvernement de Jean Lesage crée un ministère de l'Éducation. En effet, si on veut développer et moderniser le Québec, il faut que la population soit formée et éduquée. On entreprend une grande réforme de l'enseignement. La fréquentation scolaire devient obligatoire jusqu'à 16 ans. On regroupe les élèves dans de grandes écoles, les polyvalentes, et l'école secondaire est maintenant gratuite. En 1967, on met sur pied le réseau des cégeps. L'Université du Québec ouvre ses portes en 1969.

Toutes ces interventions de l'État dans l'éducation et les services sociaux réduisent les pouvoirs et l'influence de l'Église catholique. Les syndicats appuient ces actions gouvernementales, puisqu'elles permettent d'améliorer les conditions de vie et d'emploi des travailleurs québécois. Les grandes centrales syndicales deviennent un nouveau pouvoir dans la société.

Les principaux artisans de la Révolution tranquille. De gauche à droite, René Lévesque, Jean Lesage et Paul Gérin-Lajoie, premier titulaire du poste de ministre de l'Éducation.

Le gouvernement a démocratisé l'enseignement en créant :
• les cégeps qui dispensent gratuitement l'enseignement collégial à travers le Québec ;
• l'Université du Québec qui offre l'enseignement universitaire dans différentes régions du Québec et non plus seulement à Montréal et à Québec, comme c'était le cas autrefois.
Fais une recherche afin de connaître les cégeps et les universités de ta région.

9 Pyramide de mots concernant les grands changements faits par le gouvernement en santé et en éducation.

				1	Q									
			2	v	i	e								
			3	c	é	g	e	p						
		4	r	é	f	o	r	m	e					
		5	é	d	u	c	a	t	i	o	n			
	6	P	o	l	y	v	a	l	e	n	t	e		
	7	u	n	i	v	e	r	s	i	t	a	i	r	e
8	h	o	s	p	i	t	a	l	i	s	a	t	i	o	n
9	a	s	s	u	r	a	n	c	e	-	m	a	l	a	d	i	e

1. La première lettre du nom du territoire où ont lieu de grands changements en santé et en éducation.
2. Les grands changements faits par le gouvernement en santé et en éducation ont des conséquences sur la ____ des gens.
3. Établissement public dispensant un enseignement général et professionnel de niveau collégial.
4. Le gouvernement entreprend une vaste ____ de l'enseignement.
5. Dès 1964, le gouvernement de Jean Lesage crée un ministère de l'____.
6. Établissement public dispensant un enseignement général et professionnel de niveau secondaire. En 1964, le gouvernement en fait construire des dizaines.
7. Avec l'Université du Québec, l'enseignement ____ est offert dans différentes régions du Québec.
8. Afin que les gens puissent être hospitalisés gratuitement, le gouvernement achète des hôpitaux et instaure l'assurance-____.
9. En 1970, le gouvernement de Robert Bourassa, crée un régime public d'____ - ____ afin que riches et pauvres aient gratuitement accès à des soins de santé.

51

10 L'État remplace les communautés religieuses et s'occupe désormais des soins de santé et de l'éducation. Complète le tableau.

Éducation et soins de santé

Mesures gouvernementales	Conséquences sur la vie des gens
1961 : Achat *des hôpitaux, et assurance-hôspitalisation*	Les gens peuvent aller à l'hôpital gratuitement.
1964 : Création du *Ministère de l'Éducation* Construction de *polyvalentes* Fréquentation scolaire obligatoire jusqu'à *16 ans*	Gratuité de l'enseignement secondaire
1967 : Mise sur pied du réseau *des cégéps*	*La gratuité de l'enseignement collégial*
1969 : *Ouverture de l'université du Québec*	Possibilité de fréquenter l'université dans différentes régions du Québec.
1970 : *Assurance-Maladie*	*Les gens se font soigner gratuitement.*

Les lendemains de la Révolution tranquille

Tous les bouleversements de la Révolution tranquille entraînent des changements culturels dans la société et modifient la façon de vivre des gens. Les nationalistes de l'époque de Duplessis, qui étaient centrés sur eux-mêmes, croyant ainsi mieux préserver leurs traditions et leur culture, se tournent maintenant vers les autres. Les valeurs conservatrices sont remises en question. La langue reste toutefois au cœur de l'identité de ceux qui se désignent dorénavant comme Québécois.

Le mouvement de la jeunesse

On appelle *baby boom* l'incroyable hausse du taux de natalité qui a suivi la Deuxième Guerre mondiale. Les *baby boomers* sont si nombreux qu'ils sont capables à eux seuls de provoquer des changements déterminants dans la société. Dans les années 1960 et 1970, les jeunes s'assemblent, manifestent, participent à la vie culturelle avec enthousiasme. Ils sont solidaires, désireux de réinventer le monde, engagés sur le plan politique. Plus instruits et plus riches que leurs parents, libérés du poids du clergé, les jeunes sont **avides** de liberté et se trouvent à l'avant-garde du mouvement de réforme sociale. La jeunesse du Québec n'est pas seule à exiger des réformes sociales. Ailleurs dans le monde, il y a aussi de grands mouvements. Par exemple, les jeunes manifestent pour la paix aux États-Unis ou pour des réformes sociales en France, en mai 1968.

SAVAIS-TU...

À partir des années 1960, les Canadiens français habitant au Québec préfèrent être appelés «Québécois», afin de se distinguer des autres francophones du Canada qui n'habitent pas le Québec.

SAVAIS-TU...

Au Québec, deux millions d'enfants sont nés entre 1945 et 1960.

(être) avide : désirer très fortement.

La laïcisation de la société

Le clergé voit son influence s'effondrer en l'espace de quelques années. Pendant la décennie 1965-1975, la société québécoise se laïcise. La pratique religieuse baisse de manière radicale dans la province. De moins en moins de gens fréquentent les églises. Beaucoup de religieux et de religieuses quittent leurs communautés et reviennent à la vie laïque. Certains se marient et fondent des familles.

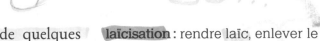

laïcisation : rendre laïc, enlever le caractère religieux.

La famille

Le modèle familial traditionnel n'est plus le même. Les femmes sont nombreuses sur le marché du travail. Elles deviennent de plus en plus indépendantes financièrement et doivent désormais concilier travail et famille. Le taux de natalité baisse radicalement, les familles de dix enfants ou plus sont devenues extrêmement rares. Les divorces et les séparations commencent aussi à être plus fréquents.

Le féminisme

La lutte des femmes pour obtenir plus de reconnaissance et de pouvoir dans la société s'intensifie dans les années 1970. Les féministes dénoncent les inégalités entre les hommes et les femmes. Elles revendiquent l'égalité des chances sur le marché du travail. Elles veulent aussi l'égalité avec les hommes dans leur vie quotidienne.

SAVAIS-TU...

Une des chansons très populaires de l'époque est celle de Georges Dor, *La Manic*, qui raconte la vie d'un travailleur sur le chantier de construction de ce grand barrage.

Les émissions pour les jeunes, tels *Bobino*, *Les enquêtes Jobidon*, *La Boîte à surprises*, ont marqué la vie de toute une génération.

La culture et le sport

À cette époque, la culture éclate sur tous les fronts. La littérature, la musique, le cinéma et la télévision reflètent de beaucoup plus près la réalité québécoise. Les chansonniers sont très populaires. Pour écrire leurs chansons, ils s'inspirent de la vie quotidienne des Québécois, des grands travaux en cours ou du mouvement nationaliste.

Les Québécois s'identifient aussi à leurs vedettes sportives, en particulier aux joueurs de hockey qui sont traités comme de véritables héros de la société.

Éditeur officiel du Québec

Les chansonniers les plus populaires du Québec, Claude Léveillée, Yvon Deschamps, Jean-Pierre Ferland, Gilles Vigneault et Robert Charlebois, lors d'un concert en plein air dans les années 1970.

POUR ALLER PLUS LOIN

Demande à des adultes quelles chansons et quelles émissions télévisées ont accompagné leur jeunesse. Essaie de trouver des disques ou des vidéocassettes que tu pourras présenter à tes camarades.

11 Compare l'époque de Duplessis à celle de la Révolution tranquille. Complète le tableau suivant.

Époque de Duplessis	Révolution tranquille
Les valeurs conservatrices dominent la société.	Les valeurs conservatrices sont remises en question.
La langue est au cœur de l'identité canadienne-française.	La langue reste une priorité.
Le clergé exerce une grande influence sur la société.	Le clergé voit son influence s'effondrer.
Un faible pourcentage des jeunes terminent leur secondaire.	Les jeunes sont plus instruits
Les jeunes sont soumis à l'autorité parentale et au clergé.	Les jeunes sont libérés du poids du clergé et ils sont avides de liberté.
Le taux de natalité est très élevé.	Le taux de natalité baisse dramatiquement
Les femmes sont soumises à leur mari et leurs conditions de travail sont moins bonnes que celles des hommes.	① Les femmes revendiquent l'égalité avec les hommes ② Les femmes revendiquent l'égalité au travail.

12 Observe attentivement les photos ci-dessous. Selon toi, sont-elles représentatives de ce que tu as lu sur la période de 1960 à 1980 ? Pourquoi ?

Collection particulière

P. G. Adam/Publiphoto

CSN

_____

_____

_____

13 À cette époque, où les chansonniers puisent-ils leur inspiration pour écrire leurs chansons ?

_____

_____

Les années 1970

En 1970, un jeune Premier ministre, Robert Bourassa, est élu en promettant 100 000 emplois aux Québécois. L'année 1973 marque le début d'une nouvelle crise économique. Les prix du pétrole au niveau mondial augmentent de façon absolument spectaculaire. Cette crise du pétrole provoque au Québec comme partout ailleurs dans le monde une hausse des prix des biens de consommation. Le pouvoir d'achat des gens baisse beaucoup. Des entreprises ferment. Le chômage augmente.

Robert Bourassa.

Les grands chantiers

Mais malgré la crise économique, l'État continue d'investir dans de grands projets. On met en chantier les gigantesques centrales hydroélectriques de la baie James où des milliers d'emplois sont créés. On espère ainsi atténuer les effets de la hausse des prix du pétrole en fournissant à bas prix aux habitants du Québec une autre source d'énergie, pour le chauffage, entre autres. On entreprend la construction des installations pour les Jeux olympiques qui auront lieu à Montréal en 1976. Le métro de Montréal, inauguré en 1966, est prolongé. On construit un nouvel aéroport international à Mirabel.

Ces photos, prises au cours de la construction du barrage LG3 à la baie James, montrent l'ampleur des travaux et l'immensité de la tâche à accomplir.

14 Selon toi, pourquoi l'augmentation des prix du pétrole a-t-elle un effet direct sur l'augmentation des prix à la consommation ?

Le prix du pétrole est directement lié à nos biens de consommation.
★ Donc, pétrole monte, bien monte aussi.

15 Indique si les énoncés suivants sont vrais ou faux.

	Vrai	Faux
En 1970, Robert Bourassa est élu en promettant 100 000 emplois aux Québécois.	✓	
La crise du pétrole provoque une baisse des prix des biens de consommation.		✓
Le pouvoir d'achat des gens baisse beaucoup, des entreprises ferment et le chômage augmente.	✓	
À cause de cette crise, l'État cesse d'investir dans de grands projets.		✓
On met en chantier les gigantesques centrales hydroélectriques de la baie James.	✓	
On entreprend la construction des installations pour les Jeux olympiques de Montréal et la prolongation du métro de Montréal.		
On construit un nouvel aéroport international à Dorval.	✓	

La construction du Stade olympique se poursuivra durant plusieurs années.

Le métro de Montréal est inauguré en 1966.

Québec ou Ottawa ?

René Lévesque et le Québec

Le mouvement nationaliste, qui veille toujours à la sauvegarde de la langue française et de la culture québécoise, est de plus en plus présent dans la société. Beaucoup réclament entre autres l'égalité entre les francophones et les anglophones. Certains souhaitent que le Québec soit un État souverain capable de décider lui-même de son avenir. D'autres veulent même que le Québec se sépare du Canada parce que, selon eux, la Confédération canadienne met en péril leur langue et leur culture. René Lévesque, un des grands artisans de la Révolution tranquille, quitte le Parti libéral. En 1968 il fonde le Parti québécois (PQ) qui est en faveur de la souveraineté du Québec. La croissance du PQ est très rapide. Le mouvement nationaliste a maintenant un parti politique bien structuré pour promouvoir ses idées.

Une manifestation nationaliste.

Pierre Elliott Trudeau.

Pierre Elliott Trudeau et le Canada

Mais ce ne sont pas tous les Québécois qui partagent ces idées. Beaucoup, au contraire, croient fermement que le Québec a sa place dans le Canada et qu'il pourra mieux s'épanouir au sein de la Confédération canadienne. Parmi eux, un jeune avocat, Pierre Elliott Trudeau, pense que des Québécois doivent se faire élire à Ottawa pour que le Québec y soit bien représenté. En 1965, il est élu député au Parlement fédéral ainsi que plusieurs autres francophones du Québec. Trois ans plus tard, il devient Premier ministre du Canada grâce à l'appui des Québécois. Pierre Trudeau croit que le Canada doit être un pays multiculturel et bilingue. Il veut donner plus de pouvoir aux francophones. Il fait adopter une loi sur les langues officielles. Il veille à ce que les fonctionnaires du gouvernement fédéral puissent donner des services à la population tant en français qu'en anglais.

Montréal, 2ᵉ ville française du monde, offrait un visage très anglais jusque dans les années 1960.

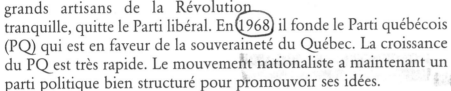

Vivre en français au Québec

En 1974, le gouvernement libéral de Robert Bourassa fait adopter la Loi 22 qui fait du français la langue officielle du Québec. Pour faciliter l'accès à la justice à ceux qui n'ont pas les moyens de se payer les services d'un avocat, le gouvernement crée un service d'aide juridique et met sur pied la Cour des petites créances. On vote aussi la Loi sur la protection du consommateur. Toutes ces réformes sont encore en vigueur aujourd'hui. Dorénavant, c'est de plus en plus en français que la modernisation du Québec se poursuit.

Montréal devient de plus en plus française.

En 1976, le Parti québécois, qui est en faveur de la souveraineté du Québec, est élu à l'élection générale. René Lévesque devient alors Premier ministre de la province. À peine un an après son élection, le gouvernement de René Lévesque fait voter la Charte de la langue française, mieux connue sous le nom de Loi 101. Un des grands changements apportés par cette loi est que le français est maintenant la seule et unique langue officielle du Québec. C'est aussi la langue du travail, du commerce et des affaires. Dorénavant, tous les immigrants qui viennent s'installer au Québec doivent envoyer leurs enfants à l'école française.

Dans la continuité de la Révolution tranquille

Le gouvernement du Parti québécois, tout en souhaitant l'indépendance du Québec, poursuit les réformes de la Révolution tranquille. Par exemple, pour mieux protéger les travailleurs, on vote une loi anti-briseurs de grève et une loi sur la santé et la sécurité au travail. La loi sur la protection des terres agricoles interdit la construction d'édifices sur ce qui reste des terres fertiles de la vallée du Saint-Laurent. La Loi sur la protection du consommateur est renforcée.

Le 15 novembre 1976, le Parti québécois est élu.

16 Ces grands hommes politiques ont forgé le Québec moderne. Pour chacun d'eux, choisis et décris une des grandes réalisations qu'ils ont accomplies au cours de leur mandat politique.

Jean Lesage

Né à Montréal au Québec (1912-1980)

Avocat

Premier ministre du Québec de 1960 à 1966

Grand artisan de la Révolution tranquille

Principales réalisations

- Nationalisation de l'électricité
- Création de sociétés d'État
- Création de nouveaux ministères
- Réforme complète du système d'éducation
- Transformation complète du système de santé

_____

_____

Robert Bourassa

Né à Montréal au Québec (1933-1996)

Avocat, professeur de sciences économiques et de finances publiques

Premier ministre du Québec de 1970 à 1976 et de 1985 à 1994

Principales réalisations

- Poursuite des réformes de la Révolution tranquille
- Loi 22
- Création d'un service d'aide juridique et de la Cour des petites créances
- Loi sur la protection du consommateur
- Création d'un régime public d'assurance-maladie
- Charte québécoise des droits et libertés

_____

_____

René Lévesque

Né à New Carlisle au Québec (1922-1987)

Journaliste

Ministre du cabinet de Jean Lesage de 1960 à 1966 et grand artisan de la Révolution tranquille

Premier ministre du Québec de 1976 à 1985

Principales réalisations

- Poursuite des réformes de la Révolution tranquille
- Loi 101
- Loi anti-briseurs de grève
- Loi sur la santé et la sécurité au travail
- Loi sur la protection des terres agricoles

_____

_____

Pierre Elliott Trudeau

Né à Montréal au Québec (1919-2000)

Avocat, professeur de droit

Premier ministre du Canada de 1968 à 1984

Principales réalisations

- Grand défenseur d'un Canada indépendant multiculturel et bilingue
- Loi sur les langues officielles
- Charte canadienne des droits et libertés
- Loi constitutionnelle de 1982
- Nomination de la première femme au poste de gouverneur général

_____

_____

Le Québec des années 1980

L'héritage de la Révolution tranquille

Le Québec des années 1980 bénéficie des retombées de la Révolution tranquille. Ouvert sur le monde, il est maintenant soumis à des influences extérieures. Les artistes québécois continuent de s'affirmer. Tout en s'attachant à préserver son caractère français, la société québécoise s'américanise. Le plus remarquable est sans doute la nouvelle place qu'occupent les francophones dans l'économie de la société qu'ils dirigent désormais en grande partie.

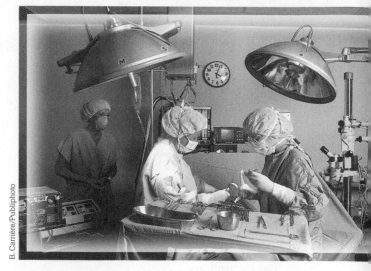

Les femmes sont de plus en plus nombreuses sur le marché du travail.

Transformation du monde du travail

Ainsi, depuis les années 1960, le marché du travail n'a plus le même visage. Les francophones sont désormais présents dans toutes les sphères et à tous les niveaux de l'économie de la province. Ils occupent les plus hauts postes de direction au même titre que les anglophones, et sont donc plus à l'aise financièrement. De plus, les femmes travaillent en grand nombre et ont des emplois dont les salaires se rapprochent de plus en plus de ceux des hommes.

Une rue du quartier chinois à Montréal.

Des gens instruits

Il faut dire que la société québécoise de 1980 est mieux instruite que les générations qui l'ont précédée. La réforme de l'éducation qui a été amorcée sous la Révolution tranquille a rendu les études plus accessibles à toutes les couches de la société. Les jeunes étudient désormais plus longtemps, et une plus grande proportion d'entre eux poursuit des études de niveau universitaire. Les femmes sont notamment plus instruites que leurs mères et surtout que leurs grands-mères.

Un Québec cosmopolite

L'arrivée importante d'immigrants au Québec, principalement à Montréal, a considérablement modifié la composition de la population. Même si elle demeure majoritairement francophone, Montréal est devenue dans les années 1980 une ville **cosmopolite**.

Le quartier de la Petite Italie à Montréal.

Une société moderne

Le parti de Maurice Duplessis, l'Union nationale, n'intéresse vraiment plus personne et disparaît complètement du paysage politique québécois en 1981. La Révolution tranquille a enfin eu raison de la Grande Noirceur. Le Québec est maintenant une société moderne qui n'a rien à envier aux autres grands pays industrialisés.

cosmopolite : qui comprend des personnes originaires de tous les pays.

17 Indique si les énoncés sont associés au Québec des années 1980, ou à celui d'avant 1960 ou aux deux.

	Avant 1960	1980
Le Québec est ouvert sur le monde.		
Une majorité de francophones sont peu instruits.		
La société québécoise veut préserver son caractère français.		
Les francophones occupent les plus hauts postes de direction au même titre que les anglophones.		
Les femmes ont des salaires de beaucoup inférieurs à ceux des hommes et une minorité d'entre elles travaillent à l'extérieur.		
Les conditions de travail des femmes se rapprochent de plus en plus de celles des hommes.		
Le Québec est une société moderne qui n'a rien à envier aux autres grands pays industrialisés.		

Le premier référendum

Maintenant qu'il s'est assuré de la survivance du français, le Parti québécois désire aller plus loin et affirmer l'indépendance de la province. Mais pour cela il lui faut l'accord de la population. Il tient donc, en 1980, un **référendum**. Cet événement révélera les divisions qui existent dans la société sur cette question. Finalement, la population du Québec dit «non» au projet de souveraineté du Parti québécois.

référendum : vote.

Droits et libertés

Comme la plupart des pays démocratiques, le gouvernement de Pierre Elliott Trudeau à Ottawa et celui de René Lévesque à Québec tiennent beaucoup à ce que les droits et les libertés de tous soient garantis par une loi. Déjà en 1948, l'Organisation des Nations unies adoptait la Déclaration universelle des droits de l'homme. L'article premier de cette déclaration dit : «Tous les êtres humains naissent libres et égaux en dignité et en droits. Ils sont doués de raison et de conscience et doivent agir les uns envers les autres dans un esprit de fraternité.»

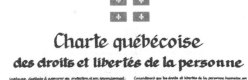

En 1981, le Parlement du Canada vote la Charte canadienne des droits et libertés et en 1983, l'Assemblée nationale du Québec vote des amendements majeurs à la Charte québécoise des droits et libertés de la personne qui était en vigueur depuis 1975. Les deux chartes garantissent à chacun, entre autres, le droit à la vie, à la liberté et à la sécurité de

sa personne, le droit à la liberté de religion et d'opinion. Elles garantissent aussi qu'il ne peut y avoir de discrimination basée sur la race, l'origine ethnique ou nationale, la religion, le sexe, l'âge.

18 L'article premier de la Déclaration universelle des droits de l'homme dit: «Tous les êtres humains naissent libres et égaux en dignité et en droits.» Crois-tu que tous les êtres humains naissent libres et égaux partout dans le monde? Justifie ta réponse.

_____

_____

_____

_____

_____

19 a) Quels droits sont garantis à tous et à toutes par les chartes canadienne et québécoise?

_____

_____

_____

b) La discrimination est-elle permise par ces deux chartes? Justifie ta réponse.

_____

_____

En bref

Au Québec, l'année 1960 marque la naissance d'une époque de transformations importantes: c'est le début de la Révolution tranquille qui fera du Québec une société moderne. L'État québécois intervient dans les domaines économique, culturel et social. La société québécoise est désormais plus instruite, plus laïque et revendique une plus grande égalité sociale. Une nouvelle forme de nationalisme naît au cours de ces années et certains Québécois aspirent à la souveraineté du Québec. La plupart des réformes implantées au cours de cette période, notamment en santé et en éducation, sont encore en vigueur aujourd'hui.

Nous avons la chance de vivre dans une société libre et démocratique où les droits de tous sont garantis. Ce n'est pas le cas partout. Par exemple, en Afrique du Sud en 1980, les Noirs et les Blancs vivaient sous le régime de l'apartheid. Nous verrons, dans l'escale suivante, ce que veut dire apartheid.

L'Expo 67 a permis aux gens de découvrir d'autres cultures, des façons de vivre différentes des leurs et des mets qu'ils ne connaissaient pas et qu'ils ont appréciés.

L'arrivée au pays de nombreux immigrants a aussi contribué à cette ouverture vers d'autres cultures.

20 Fais une enquête auprès de personnes âgées de plus de cinquante ans. Énumère dans la colonne AUTREFOIS les aliments qu'ils consommaient dans leur jeunesse et dans la colonne AUJOURD'HUI les aliments que tu manges. Indique le pays d'origine de ces aliments dans la colonne de droite.

Aliments	Autrefois	Aujourd'hui	Origine
Fruits			
Légumes			
Viandes			
Poissons, mollusques, crustacés			
Pains et pâtisseries			
Autres aliments			

POUR ALLER PLUS LOIN

La musique reflète souvent un mode de vie, une culture. C'est aussi une ouverture sur le monde. Prépare un court exposé pour faire connaître à tes camarades l'origine de ta musique préférée.

63

CARTE POSTALE

Mots entrecroisés sur le Québec des années 1960
à celui des années 1980.

1 QUÉBÉCOISE

J = BOUCLIER

B = CHARTE

D = EXPOSITION

E = EJEUX

2 RÉVOLUTION ♦ TRANQUILLE

3 NATIONALISATION

K = PARTI

H = ETAT

4 POLYVALENTES

5 SANTÉ

6 BARRAGES

A = HOMMES

7 HYDRO-QUÉBEC

F = BAIE ♦ JAMES

G = BOURASSA

8 LESAGE

9 LÉVESQUE

10 MANIC

C = MÉTRO

11 MANICOUAGAN

I = CRISE

12 NOTRE-DAME

13 SYNDICATS

14 POUVOIR

15 TRUDEAU

Horizontalement

1. Dans les années 1960, un vent nouveau souffle sur la société ____. *Québécoise*
2. Le Québec connaît de grandes transformations politiques, sociales et culturelles. Cette période porte le nom de ____ ◆ ____. *Révolution tranquille*
3. Le gouvernement achète les compagnies privées d'électricité, c'est ce qu'on appelle la ____ de l'électricité. *nationalisation*
4. L'éducation est l'une des priorités du gouvernement : on construit des ____, on met sur pied le réseau des cégeps et l'Université du Québec ouvre ses portes en 1969. *polyvalentes*
5. Une autre des priorités du gouvernement est la ____ : en 1961, l'assurance-hospitalisation permet aux gens d'aller à l'hôpital gratuitement et, en 1970, l'assurance-maladie leur donne accès à des soins médicaux gratuits. *santé*
6. La demande en électricité est forte, on entreprend donc la construction de grands ____ hydroélectriques. *barrages*
7. Cette construction est sous la responsabilité d'____. *Hydro-Québec*
8. Le premier ministre qui est à la tête du Québec durant la Révolution tranquille est Jean ____. *Lesage*
9. Le ministre responsable de la nationalisation de l'électricité est René ____. *Lévesque*
10. Un des plus grands barrages hydroélectriques au monde, ____ 5, s'appelle aujourd'hui Daniel-Johnson. *Manicouagan   Manic*
11. Ce barrage est construit sur la rivière ____.
12. D'autres grands travaux sont entrepris dont la création, au milieu du fleuve Saint-Laurent, de l'île ____. *Notre-Dame*
13. Puisqu'elles permettent d'améliorer les conditions de vie et d'emploi des travailleurs québécois, les ____ appuient les actions gouvernementales. *syndicats*
14. Les grandes centrales syndicales deviennent un nouveau ____ dans la société. *pouvoir*
15. Le premier ministre du Canada élu en 1968 est Pierre Elliott ____. Il croit que le Canada doit être un pays multiculturel et bilingue. *Trudeau*

Verticalement

A. Le site aménagé sur l'île Notre-Dame et l'île Sainte-Hélène s'appelle Terre des ____. *Hommes*
B. Les gouvernements du Canada et du Québec tiennent beaucoup à ce que les droits et les libertés de tous les citoyens soient garantis par la ____ des droits et libertés. *Charte*
C. À Montréal, le réseau d'autobus n'est plus suffisant pour transporter tous les voyageurs, on construit donc un ____. *Métro*
D. Le site aménagé sur l'île Notre-Dame et l'île Sainte-Hélène reçoit les visiteurs de l'____ universelle de 1967 qui est un tournant décisif dans l'évolution des mentalités au Québec. *exposition*
E. Un autre événement attirera des visiteurs du monde entier, ce sont les ____ ◆ ____ de Montréal qui auront lieu en 1976. *Jeux Olympiques*
F. En 1971, on met en chantier les gigantesques centrales hydroélectriques de la ____ ◆ ____. *Baie James*
G. Le gouvernement libéral de cette époque est dirigé par Robert ____. *Bourassa*
H. L'État québécois continue d'investir dans de grands projets. *état*
I. La décennie 1970 est marquée par une nouvelle ____ économique causée par la hausse des prix du pétrole. *crise*
J. Les grands barrages hydroélectriques sont construits sur les puissantes rivières de la région physiographique du ____ ◆ ____. *Bouclier-Canadien*
K. En 1976, le ____ ◆ ____ qui est en faveur de la souveraineté du Québec, est porté au pouvoir. Ce parti est dirigé par René Lévesque. *Parti Québécois*

ESCALE 2 · En marche vers la modernité

ESCALE 3
La société québécoise et l'apartheid vers 1980

La Charte de la liberté

« Nous, peuples d'Afrique du Sud, proclamons afin que nul ne l'ignore dans notre pays comme dans le monde entier que :

– L'Afrique du Sud appartient à tous ceux qui y vivent, aux Blancs comme aux Noirs, et aucun gouvernement n'est justifié à prétendre exercer l'autorité s'il ne la tient de la volonté de tous ;

– Notre peuple a été privé, par une forme de gouvernement fondé sur l'injustice et l'inégalité, de son droit à la terre, à la liberté et à la paix ;

– Notre pays ne sera jamais ni prospère ni libre tant que tous nos peuples ne vivront pas dans la fraternité, ne jouiront pas de droits égaux, et que les mêmes possibilités ne leur seront pas données ;

– Seul un État démocratique fondé sur la volonté de tous, peut assurer à tous, sans distinction de race, de couleur, de sexe et de croyance, les droits qui leur reviennent de par leur naissance.

[...] peuples d'Afrique du Sud, Blancs aussi bien que Noirs, réunis comme des [...] tons cette Charte de la liberté. Et nous nous [...] jusqu'à ce que

Charte québécoise
des droits et libertés

« Tout être humain possède des droits et
libertés *intrinsèques* destinées à assurer
sa protection et son épanouissement »

...es êtres humains sont égaux en valeur et en dignité et ont droit à une égale
...on de la loi;

...ct de la dignité de l'être humain...

...st titul...

NIE — BLANKES
NON — WHITES

PROJET

Il existe une ***Déclaration des droits de l'enfant*** proclamée par l'Assemblée générale des Nations unies. Cette déclaration interdit le travail des enfants s'il nuit à leur développement. Elle garantit à tous les jeunes, entre autres, le droit de jouer. Toutefois, des millions d'entre eux sont privés de ces droits à cause de la guerre, des maladies ou de la pauvreté.

Des personnes et des organismes luttent pour que les droits des enfants soient respectés. Iqbal Mashi est l'un d'entre eux. À 10 ans, après 6 ans d'esclavage, il est devenu le symbole de la lutte contre le travail des enfants.

Avec tes camarades, fais une recherche sur Iqbal Mashi. Explique comment, dans son cas, les droits de la ***Déclaration des droits de l'enfant*** n'ont pas été respectés. Quelles mesures pourraient être prises pour que d'autres enfants dans le monde ne subissent pas le même sort.

Peut-être votre recherche vous amènera-t-elle à accomplir des actions qui pourraient améliorer les conditions de vie d'enfants privés de certains droits.

UN COUP D'ŒIL SUR...

Le respect et le non-respect des droits et libertés.

Découpe les vignettes de la page 125. Au-dessus de la légende, colle l'illustration qui correspond à l'énoncé.

Les lois de l'apartheid

- Il est interdit aux Blancs et aux non-Blancs de se fréquenter.

- Les Noirs sont obligés de porter sur eux en tout temps un laissez-passer, sorte de carte d'identité sur laquelle est mentionnée leur race. Des postes frontières existent à la limite territoriale des *homelands* et le laissez-passer doit y être présenté par un Noir ou un Métis qui se rend travailler en territoire blanc.

- Il existe des lieux publics réservés exclusivement aux Noirs et séparés de ceux des Blancs : écoles, restaurants, autobus, toilettes publiques, piscines ou plages, etc.

En Afrique du Sud, le gouvernement a divisé la population en fonction des races.

Les droits des personnes ne sont pas les mêmes dans tous les pays.

Charte québécoise des droits et libertés

- Tous les êtres humains sont égaux en valeur et en dignité et ont droit à une égale protection de la loi.

- Le respect de la dignité de l'être humain et la reconnaissance des droits et libertés dont il est titulaire constituent le fondement de la justice et de la paix.

- Les droits et libertés de la personne humaine sont inséparables des droits et libertés d'autrui et du bien-être général.

- Les libertés et droits fondamentaux de la personne doivent être garantis par la volonté collective et mieux protégés contre toute violation.

Au Québec, la Charte des droits et libertés garantit l'égalité à tous les habitants peu importe leur race.

En Afrique du Sud, les manifestations sont interdites et des manifestants noirs sont brutalement dispersés par les policiers.

En Afrique du Sud, les enfants noirs ne peuvent jouer qu'entre eux parce qu'ils habitent dans des territoires séparés des Blancs.

Au Québec, les gens ont le droit de manifester dans la rue.

Au Québec, les enfants jouent ensemble, peu importe leur race.

69

Portrait de la société sud-africaine vers 1980

Une société où tous les habitants n'ont pas les mêmes droits.

PRÉPARATION

> Observe la mappemonde et cherche où se trouve l'Afrique du Sud.

1 Dans quel hémisphère l'Afrique du Sud est-elle située ?

Dans l'hémisphère Sud

Utilise un globe terrestre ou un atlas.

L'Afrique du Sud dans le monde

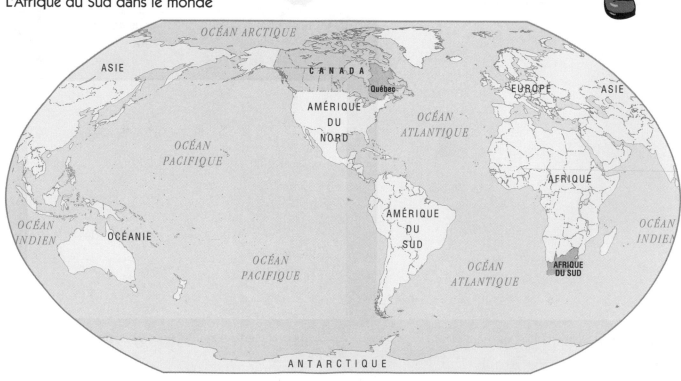

L'Afrique du Sud est une péninsule, c'est-à-dire qu'une grande partie de son territoire est entourée d'eau.

2 Écris le nom des territoires et des étendues d'eau qui correspondent aux frontières de l'Afrique du Sud.

Au sud-est : *L'océan Indien* .

Au sud-ouest : *L'océan Atlantique* .

À l'est : *Mosambique* et *Swajiland* .

Au nord : *Botswana* , *zimbabwe* et *Namibie* .

L'Afrique du Sud sous l'apartheid

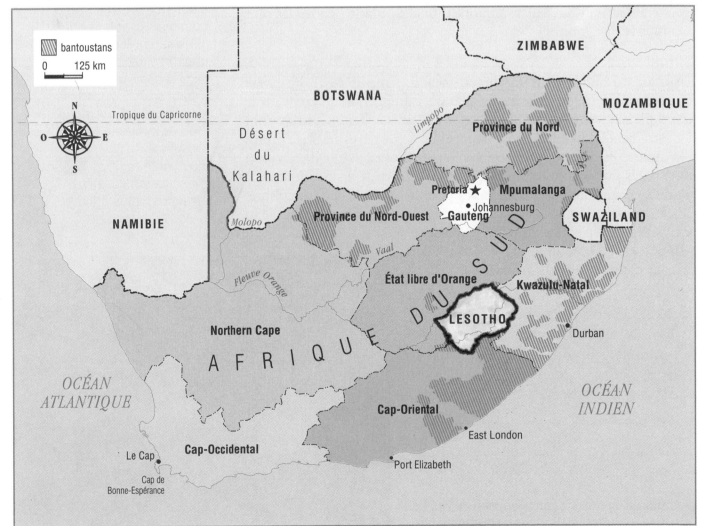

Vesso

ESCALE 3 · Portrait de la société sud-africaine vers 1980

Le visage physique de l'Afrique du Sud

Relief et étendues d'eau

L'Afrique du Sud est un pays du continent africain. C'est une vaste péninsule d'une superficie de 1 221 037 kilomètres. Elle se trouve dans l'hémisphère Sud de notre planète, là où l'océan Atlantique rejoint l'océan Indien. Son territoire est constitué d'un vaste plateau intérieur séparé des plaines côtières par un grand **escarpement**. Au sud-est, le plateau s'élève à plus de 3000 mètres.

L'Afrique du Sud est bordée au sud-est par l'océan Indien et au sud-ouest par l'océan Atlantique. Ses seuls voisins immédiats sont, au nord, la Namibie, le Botswana et le Zimbabwe et, à l'est, le Mozambique et le Swaziland. Le Lesotho est **enclavé** dans le territoire de l'Afrique du Sud. Les principaux cours d'eau sont le fleuve Orange, la rivière Vaal et le Limpopo. Aucun de ces fleuves ou rivières n'est navigable. Le grand plateau intérieur couvre la quasi-totalité des terres **arables**. Le sous-sol est très riche, entre autres, en charbon, manganèse, alumine, uranium, zinc et nickel. On y trouve aussi des mines de diamants, d'or et de platine parmi les plus productives au monde.

Climat

L'Afrique du Sud jouit d'un climat tropical, tempéré par l'altitude et les océans. Les précipitations, un peu plus abondantes à l'est et sur le grand plateau, diminuent beaucoup à l'ouest. Les Européens s'y sont d'abord installés parce qu'on y trouvait de riches terres arables propres à la culture et d'autres propices à l'élevage du bétail. Les Blancs sont aussi restés pour exploiter les richesses du sous-sol. Cependant, l'eau y est rare, ce qui cause des problèmes pour la pratique de l'agriculture. On a dû faire de grands travaux de canalisation pour rendre l'eau accessible à la population. L'approvisionnement en eau potable est très difficile, surtout dans les régions urbaines.

3 Nomme trois traits physiques qui ont favorisé l'établissement des colons européens en Afrique du Sud.

Les climats tropicals, les terres arables, les richesses du sous-sol

L'Afrique du Sud produit beaucoup de vin. La culture de la vigne y est importante.

4 Complète ce tableau sur les caractéristiques de l'Afrique du Sud.

étudie bien! 😊

Relief	*Un vaste plateau intérieur séparé des plaines côtières par un grand escarpement.*
Cours d'eau	*Il y a le fleuve Orange, La rivière Vaal et le Limpopo, océan Indien, océan Atlantique.*
Ressources naturelles	Sol: *le sol est arable* Sous-sol: *Il y a du charbon, manganèse, alumine, uranium, zinc et nickel + mines de diamants, d'or et de platine*
Climat	*Il y a le climat tropical, tempéré par l'altitude et les océans. Les précipitations abondantes* (peu) à l'est et sur le grand plateau.

5 Quels sont les éléments physiques qui rendent l'implantation humaine beaucoup plus difficile en Afrique du Sud qu'au Québec?

① La rareté d'eau ② La navigation sur les fleuves

Le visage humain de l'Afrique du Sud

L'Afrique du Sud a été peuplée très tôt dans la préhistoire. Les grands plateaux ont été d'abord habités par des populations africaines, les Bochimans et les Hottentots, puis par les Bantous. Les premiers colons européens sont venus des Pays-Bas et plus tard de Grande-Bretagne au 17e siècle. À partir de cette époque, le commerce des esclaves noirs se développe en Afrique du Sud, comme ailleurs en Amérique et dans le monde. Pour cette raison, plusieurs peuples autochtones sont **décimés**.

En 1980, la population sud-africaine compte plus de 24 millions d'habitants. Cette population est divisée en quatre catégories établies par le gouvernement: les Blancs, les Asiatiques, les Métis et les Noirs.

Les Noirs
Les Noirs sont appelés officiellement les Bantous, mais se désignent eux-mêmes comme Africains. Le gouvernement les a sous-divisés en groupes ethniques et leur a attribué dix lieux de résidence appelés bantoustans. Ces bantoustans deviendront les *homelands*.

Principales religions	
Chrétiens	14 000 000
Hindouistes	500 000
Musulmans	300 000
Juifs	140 000

décimer: faire mourir un grand nombre de personnes.

Population en 1980		%
Noirs	16 280 000	67 %
Blancs	4 540 000	18 %
Métis	2 600 000	11 %
Asiatiques	818 000	4 %
Total	24 238 000	100 %

ESCALE 3 · Portrait de la société sud-africaine vers 1980

Une plage d'Afrique du Sud réservée uniquement aux Blancs. On peut lire sur le panneau « Zone réservée ».

Le *township* de Soweto aux limites de Johannesburg où vivent les Noirs qui travaillent dans la ville blanche.

Les Blancs

Les Blancs sont divisés en deux groupes : les Afrikaners et les Anglais. Les Afrikaners, ou anciens Boers, sont les descendants de colons hollandais venus s'installer en Afrique du Sud dès le 17e siècle. Ils parlent l'afrikaans et constituent 60% de la population blanche. Certains descendent aussi de Français protestants (les Huguenots) arrivés au 17e siècle et qui s'étaient mêlés aux Boers.

Les Afrikaners ont longtemps représenté l'essentiel de la population rurale blanche. Cependant depuis les années 1960, ils vivent en majorité dans les villes. Les Blancs anglophones sont en général d'origine britannique. D'autres Européens ayant adopté l'anglais comme langue d'usage se sont aussi installés en Afrique du Sud.

Les Métis

Les Métis sont les descendants des unions entre les premiers Européens et les Africains des tribus Bochimans et Hottentots, ou les descendants des unions entre les Européens et les esclaves noirs des 17e et 18e siècles. Presque tous les Métis vivent dans la province du Cap. Ils souffrent du chômage et de la pauvreté. Ils parlent surtout l'afrikaans.

Les Asiatiques

Les Asiatiques sont les descendants de commerçants venus de l'Inde, et, surtout, d'Indiens venus travailler dans les plantations de sucre d'Afrique du Sud et ayant décidé de s'installer définitivement au pays. Ils occupent des postes de premier plan dans les professions libérales et dans le commerce de gros et de détail.

Répartition de la population

En Afrique du Sud, la population est répartie sur le territoire en fonction de son appartenance raciale. Les Noirs, qui constituent plus des deux tiers de la population, sont **confinés** dans les bantoustans ou *homelands*. Ces bantoustans ne couvrent que 14% du territoire. Tout le reste du pays appartient aux 18% de Blancs et est divisé en provinces. Cependant, pour des raisons économiques, la majorité des Noirs vivent dans les *townships* en périphérie des grandes villes, en territoire blanc.

SAVAIS-TU...

Les *townships* sont situés en banlieue des villes habitées par les Blancs. Ce sont des zones urbaines réservées aux Noirs qui travaillent dans les villes blanches mais qui n'ont pas le droit d'y habiter. Les *townships* sont le résultat des lois racistes de l'Afrique du Sud.

confiner : forcer quelqu'un à rester à un endroit.

Langues officielles

Deux langues officielles sont reconnues par le gouvernement sud-africain : l'afrikaans et l'anglais. L'afrikaans n'est la langue maternelle que des Afrikaners (Blancs) et de la plupart des Métis. Pourtant, son utilisation est imposée dans l'enseignement de certaines matières à l'école. Les Noirs ne connaissent pas cette langue lorsqu'ils commencent l'école. Cette situation contribue à accentuer leur **analphabétisme** et leur manque de formation professionnelle. L'Afrique du Sud est une véritable mosaïque linguistique : les Noirs parlent des langues bantoues et les Asiatiques des langues indiennes. Cependant, la grande majorité des Noirs qui vivent en périphérie des grandes villes parlent, en plus de leur langue maternelle bantoue, l'anglais et l'afrikaans.

Jeunes filles noires dans la cour de leur école en Afrique du Sud.

analphabétisme : état de ceux qui ne savent ni lire ni écrire.

Conditions de vie

Selon qu'ils soient Noirs, Blancs ou Métis, les habitants de l'Afrique du Sud n'ont pas les mêmes conditions de vie. Les non-Blancs vivent moins longtemps que les Blancs, leurs enfants sont plus nombreux à mourir en bas âge et leur niveau d'éducation est moins élevé.

1985	Mortalité infantile (pour mille)	Espérance de vie	Analphabétisme
_18%_ Blancs	13	72,3 ans	3 %
Asiatiques	20,4	63,9 ans	n.d.
Métis	61,9	56,1 ans	31,5 %
_67%_ Noirs	80	58,9 ans	54,5 %

6 a) Sur le diagramme ci-contre colorie,

en bleu la population noire ; _67%_
en rouge la population blanche ; _18%_
en jaune la population métisse ; _11%_
en vert la population asiatique. _4%_

b) Compare ce diagramme à la carte de la page 71. Que remarques-tu ?

67% représente la population de noire, 18% représente la population blanche, 11% représente la population métisse, 4% représente la population asiatique.

86% du territoire est occupé par la population Blanche

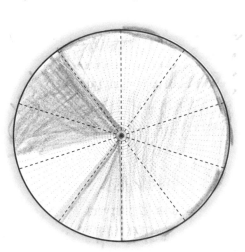

Population de l'Afrique du Sud en 1980

ESCALE 3 · Portrait de la société sud-africaine vers 1980

7 Associe chaque groupe de la population d'Afrique du Sud aux caractéristiques qui la définissent en utilisant la couleur appropriée.

Population noire ● Population blanche ● Population métisse ○ Population asiatique ●

P. Asiatique ○ Ce groupe est constitué des descendants de commerçants venus de l'Inde, et, surtout, d'Indiens venus travailler dans les plantations de sucre.

Blanche ○ Ce groupe est formé des Afrikaners, qui sont surtout les descendants de colons hollandais, et des Anglais en général d'origine britannique.

Métisse ○ Ce sont les descendants des unions entre les premiers Européens et les Africains des tribus Bochimans et Hottentots, ou les descendants des unions entre les Européens et les esclaves noirs des 17e et 18e siècles.

Noire ○ Ils se désignent eux-mêmes comme Africains, mais sont appelés officiellement les Bantous.

Métisse ○ Presque tous ses membres vivent dans la province du Cap.

Noire ○ La majorité de ses membres vit dans les *townships* en périphérie des grandes villes.

Métisse ○ La majorité de ses membres vit dans les grandes villes.

Métisse ○ Son espérance de vie est la plus élevée et son taux de mortalité infantile est l'un des plus bas.

Noire ○ Plus de la moitié de la population de ce groupe est analphabète.

Les activités économiques

L'Afrique du Sud est un pays industriel et développé. La prospérité du pays est **tributaire** du travail des Noirs. Ceux-ci représentent 70 % de la main-d'œuvre mais ont des revenus beaucoup plus faibles que leurs compatriotes blancs, métis ou asiatiques. Le revenu annuel d'un Blanc en 1977 s'élève à 7800 $ alors qu'un Noir des *townships* gagne 2000 $ par année. Les Noirs vivant dans les *homelands* ne gagnent, eux, que 250 $ par an.

tributaire : dépendant.

L'agriculture et l'industrie ont une importance égale pour l'économie du pays. Dans la société rurale, autant blanche que noire, la possession de bétail constitue le principal signe de richesse. Les domaines agricoles des Blancs couvrent environ 85 % de toute la surface cultivable du pays. Les domaines agricoles des Noirs sont sous-développés et trop peuplés. Les sols y sont épuisés et voués à une agriculture de subsistance. L'industrie agroalimentaire est en tête du développement industriel sud-africain, suivie des industries textile, chimique, métallurgique et mécanique.

Dans une mine d'or, un mineur noir travaille sous la surveillance d'un contremaître blanc.

Les richesses naturelles du sous-sol du pays sont exploitées par des Blancs qui utilisent une main d'œuvre noire très peu payée. L'exploitation des produits miniers est une des principales sources de richesse du pays: l'Afrique du Sud possède 81 % des réserves mondiales de chrome, 46 % des réserves de manganèse et 34 % de des réserves d'alumine. Elle produit 20 % des diamants, 51 % de l'or et 75 % du platine mondial. Plus de 85 % de ces produits sont exportés vers les pays occidentaux, ce qui engendre de grands profits pour l'économie du pays.

8 Mots en escalier sur les activités économiques de l'Afrique du Sud vers 1980.

1. L'Afrique du Sud fournit 51 % de la production mondiale de ce métal.

2. Les Noirs ne possèdent que 15 % des terres cultivables, alors le _sol_ est épuisé, car il est surexploité.

3. L'Afrique du Sud est un _pays_ riche.

4. Malheureusement, les _Noirs_ ne profitent pas de ces richesses.

5. Ce sont les _Blancs_ qui possèdent les grands domaines agricoles et qui exploitent les usines et les mines.

6. L'exploitation _minière_ est une des principales sources de richesse du pays.

7. Plus de 85 % des produits miniers sont exportés, ce qui favorise l'_économie_ du pays.

8. L'_industrie_ a autant d'importance que l'agriculture dans l'économie de l'Afrique du Sud.

9. Les domaines agricoles des Blancs couvrent environ 85 % de toute la surface _cultivable_ du pays.

10. Les Noirs pratiquent une _agriculture_ de subsistance.

11. Les Noirs représentent 70 % de la _main-d'œuvre_ mais ont des revenus beaucoup plus faibles que leurs compatriotes blancs, métis ou asiatiques.

12. Les industries sud-africaines se sont développées dans les domaines agroalimentaire, textile, chimique, ____ et mécanique.

13. Le domaine agricole des Noirs est ____ - ____.

14. L'industrie ____ est en tête du développement industriel sud-africain.

1	o	r											
2	s	o	b										
3	p	a	y	s									
4	N	o	i	r	s								
5	B	l	a	n	c	s							
6	m	i	n	i	è	r	e						
7	é	c	o	n	o	m	i	e					
8	p	n	d	u	s	t	r	p	e				
9	c	u	l	t	i	v	a	b	l	e			
10	a	g	r	i	c	u	l	t	u	r	e		
11	m	a	i	n	-	d	'	o	e	u	v	r	e
12	m	é	t	a	l	l	u	r	g	i	q	u	e
13	s	o	u	s	-	d	é	v	e	l	o	p	p	é
14	a	g	r	o	a	l	i	m	e	n	t	a	i	r	e

ESCALE 3 · Portrait de la société sud-africaine vers 1980

L'apartheid au quotidien

L'apartheid est un régime politique unique au monde qui a été institué en Afrique du Sud en 1948. Il n'a été aboli qu'en 1990. Le gouvernement a divisé la population en fonction des races. Il justifie cette division par la volonté divine. Des lois nombreuses et complexes réglementent la vie quotidienne et politique du pays. Elles s'appuient sur l'exercice de la force physique et de la violence. Le résultat est la domination écrasante de la population minoritaire blanche sur la population majoritaire noire.

La domination des Blancs sur les Noirs est apparue dès l'arrivée des colons européens au 17e siècle. En 1948, le gouvernement transforme ces pratiques en règlements et en lois. Le régime mis en place est connu sous le nom d'apartheid.

Sous l'apartheid, la population est classée en quatre catégories en fonction de son origine raciale : les Blancs, les Noirs, les Métis et les Asiatiques. L'appartenance raciale détermine toute la vie d'un individu : son lieu de résidence, ses études, sa profession, ses relations amicales et amoureuses, son pouvoir économique, etc.

Vivre séparés

En 1950, le gouvernement blanc vote une loi qui détermine avec précision les zones de résidence des gens en fonction de leur groupe racial. Cette loi impose à chacun de ces groupes de vivre dans des territoires séparés. Les membres du groupe racial noir sont obligés de résider dans des territoires appelés *homelands*. Les *homelands* n'ont aucune réelle autonomie économique ou politique.

Les seuls Noirs autorisés à pénétrer dans les territoires blancs sont ceux qui se rendent travailler dans les zones urbaines comme domestiques et comme ouvriers. Comme ils n'ont pas le droit de rester en territoire blanc une fois leur travail terminé, et que les *homelands* sont trop éloignés pour y retourner chaque soir après le travail, le gouvernement a créé des cités destinées aux Noirs autour des villes blanches. Ce sont les *townships*, dont le plus grand est Soweto, qui entoure la ville blanche de Johannesburg. Soweto est devenue très célèbre en 1976 quand la police ouvre le feu pour disperser une manifestation pacifique d'étudiants. Hector Pieterson, un jeune Noir de 13 ans, est tué. Il est devenu un symbole de l'oppression des Noirs.

La police disperse brutalement une manifestation noire à Soweto et arrête des gens.

SAVAIS-TU...

Le mot apartheid est apparu en 1947. Il signifie «séparation» en afrikaans.

SAVAIS-TU...

Sous le régime de l'apartheid, aucun Noir ne peut séjourner plus de 72 heures dans une zone urbaine sauf s'il y est né, y réside continuellement depuis sa naissance ou travaille de manière continue pour le même employeur depuis au moins dix ans.

À l'entrée d'un parc d'une ville blanche, il est écrit : « Cette pelouse est réservée aux domestiques noires qui gardent des petits enfants blancs. »

Les lois de l'apartheid

- Il est interdit aux Blancs et aux non-Blancs de se fréquenter.
- Les Noirs sont obligés de porter sur eux en tout temps un laissez-passer, sorte de carte d'identité sur laquelle est mentionnée leur race. Des postes frontières existent à la limite territoriale des *homelands* et le laissez-passer doit y être présenté par un Noir ou un Métis qui se rend travailler en territoire blanc.

- Il existe des lieux publics réservés exclusivement aux Noirs et séparés de ceux des Blancs : écoles, restaurants, autobus, toilettes publiques, piscines ou plages, etc.
- De par la loi, les Noirs sont obligés d'accepter tout emploi qui leur est offert, sous peine d'être poursuivis. Mais tous les meilleurs emplois sont réservés aux Blancs.

- Les Noirs ne peuvent pas posséder de terres ailleurs que dans les *homelands*. Dans les *townships*, ils ne sont que locataires.
- Afin de préserver la pureté de la race blanche, les lois de l'apartheid interdisent les contacts sociaux et culturels et les mariages entre les Noirs et les Blancs.

9 Complète les phrases avec les mots suivants.

> Afrique du Sud, apartheid, Blancs, carte d'identité, domination, gouvernement, *homelands*, marier, Noirs, races, *townships*

La domination des **Blancs** sur les Noirs est apparue dès l'arrivée en **Afrique du Sud** des colons européens au 17ᵉ siècle. En 1948, le **gouvernement** transforme ces pratiques en règlements et en lois. Dans ce régime politique unique au monde, le gouvernement a divisé la population en fonction des **races**. Il est interdit aux Blancs et aux non-Blancs de se fréquenter et de se **marier** entre eux. Il existe des lieux publics réservés exclusivement aux **Noirs** et séparés de ceux des Blancs. Les Noirs sont obligés de porter sur eux en tout temps une **carte d'identité** sur laquelle est mentionnée leur race. Les Noirs sont obligés de résider dans des territoires appelés **homelands** ou dans les **Townships**. Le résultat de cette politique est la **domination** écrasante de la population minoritaire blanche sur la population majoritaire noire. Le régime, connu sous le nom d'**apartheid**, n'a été aboli qu'en 1990.

4Dans-apartheid

En bref

L'Afrique du Sud est un pays riche et prospère. L'exploitation minière est une des principales sources de richesse du pays. L'agriculture et l'industrie ont une importance égale pour l'économie du pays. La richesse de ce pays ne profite qu'à une minorité de la population, les Blancs. Dans ce pays non démocratique, les droits des Noirs sont niés, et les lois obligent la population à exercer ou à subir la discrimination raciale. L'apartheid a pris fin en 1990.

ESCALE 3 · Portrait de la société sud-africaine vers 1980

10 As-tu déjà été témoin de discrimination exercée à l'égard de certaines personnes ? As-tu déjà exercé une certaine forme de discrimination en refusant la participation de certains élèves moins habiles lors de jeux en équipes ? As-tu d'autres exemples de discrimination qui te viennent à l'esprit ?

Note des faits qui dénotent de la discrimination.

L'Afrique du Sud n'est pas le seul pays où les droits des gens ne sont pas respectés. Même au Québec, il y a certaines personnes qui exercent de la discrimination face à d'autres personnes.

Stockbyte

Digital Vision

_____

_____

_____

_____

POUR ALLER PLUS LOIN

Renseigne-toi sur l'Afrique du Sud d'aujourd'hui. L'apartheid a été aboli en 1990. Comment cette abolition s'est-elle réalisée ? Comment vivent les Noirs aujourd'hui ? Ont-ils les mêmes droits que les Blancs ?

CARTE POSTALE

Coche les énoncés qui décrivent l'Afrique du Sud vers 1980.

✓ L'Afrique du Sud est une vaste péninsule du continent africain.

___ Le territoire est constitué uniquement de plaines.

✓ Le sous-sol de l'Afrique du Sud est très riche en minéraux.

✓ L'eau y est rare. On a dû faire de grands travaux de canalisation pour rendre l'eau accessible à la population.

✓ Les principales activités économiques sont l'agriculture, l'industrie et l'exploitation minière.

✓ L'Afrique du Sud a d'abord été habitée par les Bochimans et les Hottentots, puis par les Bantous.

___ L'apartheid a été institué en Afrique du Sud en 1980.

✓ L'apartheid divise la population sud-africaine en quatre catégories en fonction de son origine raciale : les Blancs, les Asiatiques, les Métis et les Noirs.

✓ Cette loi impose à chacun des groupes raciaux de vivre dans des territoires séparés. Les seuls Noirs autorisés à pénétrer dans les territoires blancs sont ceux qui s'y rendent pour travailler.

___ Le territoire de l'Afrique du Sud est plus grand que celui du Québec.

✓ Les Noirs et les Métis doivent présenter un laissez-passer quand ils se rendent travailler en territoire blanc.

___ La majorité de la population est blanche.

✓ Ce sont les Blancs qui contrôlent l'économie sud-africaine, même si les Noirs forment 70 % de la main-d'œuvre.

___ Les Noirs contrôlent leurs écoles.

✓ Le résultat de l'apartheid est la domination écrasante de la population minoritaire blanche sur la population majoritaire noire.

✓ La population de l'Afrique du Sud est plus élevée que celle du Québec.

Liberté, égalité et fraternité au quotidien

La société québécoise et la société sud-africaine vers 1980

En 1955, le Congrès national africain (ANC), parti politique essentiellement noir d'Afrique du Sud, adoptait la Charte de la liberté. Cette charte constitue le programme politique de l'ANC. Elle proclame le gouvernement par le peuple, l'égalité des droits pour tous, la redistribution des richesses au peuple, l'attribution de la terre à ceux qui travaillent, la paix, la solidarité et la constitution d'une démocratie non raciale. En voici le préambule.

La Charte de la liberté

«Nous, peuples d'Afrique du Sud, proclamons afin que nul ne l'ignore dans notre pays comme dans le monde entier que :

• L'Afrique du Sud appartient à tous ceux qui y vivent, aux Blancs comme aux Noirs, et aucun gouvernement n'est justifié à prétendre exercer l'autorité s'il ne la tient de la volonté de tous ;

• Notre peuple a été privé, par une forme de gouvernement fondé sur l'injustice et l'inégalité, de son droit à la terre, à la liberté et à la paix ;

• Notre pays ne sera jamais ni prospère ni libre tant que tous nos peuples ne vivront pas dans la fraternité, ne jouiront pas de droits égaux, et que les mêmes possibilités ne leur seront pas données ;

• Seul un État démocratique fondé sur la volonté de tous, peut assurer à tous, sans distinction de race, de couleur, de sexe et de croyance, les droits qui leur reviennent de par leur naissance.

C'est pourquoi nous, peuples d'Afrique du Sud, Blancs aussi bien que Noirs, réunis comme des égaux, des compatriotes et des frères, adoptons cette Charte de la liberté. Et nous nous engageons à lutter ensemble, en ne ménageant ni notre énergie ni notre courage, jusqu'à ce que nous ayons obtenu les changements démocratiques inscrits dans cette Charte. [...] »

1 Dans la Charte de la liberté d'Afrique du Sud, surligne

— en bleu ce qui concerne les droits démocratiques ;

— en jaune ce qui concerne l'égalité pour tous.

82

La Charte québécoise des droits et libertés de la personne affirme et protège les droits et libertés de toute personne vivant au Québec. Elle a été adoptée par l'Assemblée nationale du Québec le 27 juin 1975. Des amendements majeurs y ont été apportés en 1983 faisant de la Charte une loi qui a **préséance** sur les autres lois. Elle a comme objectif principal d'harmoniser les rapports des citoyens entre eux et avec leurs institutions, dans le respect de la dignité humaine. En voici le préambule.

(avoir) préséance : passer avant.

(droits et libertés) intrinsèques : qui appartiennent à l'être humain.

Charte québécoise des droits et libertés

«Tout être humain possède des droits et libertés intrinsèques destinées à assurer sa protection et son épanouissement ;

- Tous les êtres humains sont égaux en valeur et en dignité et ont droit à une égale protection de la loi ;

- Le respect de la dignité de l'être humain et la reconnaissance des droits et libertés dont il est titulaire constituent le fondement de la justice et de la paix ;

- Les droits et libertés de la personne humaine sont inséparables des droits et libertés d'autrui et du bien-être général ;

- Les libertés et droits fondamentaux de la personne doivent être garantis par la volonté collective et mieux protégés contre toute violation.»

Il y a des similitudes entre la Charte de la liberté de l'Afrique du Sud et la Charte québécoise des droits et libertés.

2 Dans la Charte québécoise des droits et libertés, surligne

- en jaune ce qui concerne l'égalité entre tous ;
- en vert ce qui dit que notre liberté n'est pas absolue, qu'elle doit respecter la liberté des autres.

Liberté, égalité, fraternité

Au 18e siècle, en France, des idées nouvelles sont nées. Pour la première fois des personnes qui réfléchissaient sur la nature humaine ont dit que les hommes étaient libres de leurs choix, et que, peu importe leur condition sociale, économique ou leurs opinions politiques, ils naissaient égaux en droits. La devise de la France est devenue plus tard «Liberté, égalité, fraternité». Dans les pays démocratiques, ces principes sont également respectés.

Le terme démocratie vient d'un mot grec, *demos*, qui veut dire «peuple». Dans un pays démocratique, c'est donc, en principe, le peuple qui gouverne. La population choisit, par le moyen des élections, le parti politique qui va diriger l'État en son nom.

En 1980, le Québec est une démocratie. Tous ses citoyens possèdent des droits et des libertés qui leur permettent de s'épanouir et de vivre en sécurité fraternellement. Ils sont tous égaux devant la loi. En Afrique du Sud, c'est le contraire. L'apartheid a fait de ce pays une société non fraternelle, où une très grande partie de la population a été privée de sa liberté et où l'inégalité est inscrite dans les lois. L'Afrique du Sud ne peut donc pas être considérée comme un pays démocratique.

3 Que signifie pour toi

a) la liberté ? *C'est des droits que tout êtres humains possèdent et qui leur permet de vivre en sécurité et fraternellement.*

b) l'égalité ? *C'est la même quantité de chose qu'un être humain possède comparé à un autre.*

c) la fraternité ? *C'est la paix dont tous les êtres humains ont droit et c'est ce qui fait vivre les gens en harmonie*

4 Qui suis-je ?

a) Je suis la devise de la France. Ces principes sont également respectés dans les pays démocratiques.	*C'est : «Liberté égalité, fraternité»*
b) Le Québec en est une, car c'est le peuple qui gouverne, c'est-à-dire qu'il élit ses représentants.	*Le Québec est un pays démocratique.*
c) Je suis un pays non démocratique où l'apartheid prive une partie de la population de ses droits.	*C'est l'Afrique du Sud*

> Voyons comment les trois grands principes de liberté, d'égalité et de fraternité s'appliquent au quotidien au Québec et en Afrique du Sud. Nous comprendrons mieux les différences qui existent entre les deux pays.

La liberté

Selon la *Déclaration des droits de l'homme et du citoyen* de 1789, la liberté consiste à pouvoir faire tout ce qui ne nuit pas aux autres. La liberté d'une personne s'arrête là où commence la liberté de l'autre personne. On peut aussi ajouter que, par opposition à l'esclavage, une personne libre n'est dépendante d'aucune autre. En démocratie, chaque personne est libre de ses choix et a donc le droit de faire ce qu'elle veut, tout en respectant les lois. Les lois permettent de protéger la liberté de l'ensemble des citoyens.

Liberté de mouvement

Au Québec, en 1980, la population vit dans un régime démocratique et chaque personne est donc, par exemple, libre de résider dans le lieu qui lui plaît. Que ce soit en ville ou à la campagne, chaque citoyen est libre de posséder une propriété. Ce droit est inviolable et sacré. En Afrique du Sud, comme nous l'avons vu, il existe des lieux de résidence réservés aux Noirs et d'autres réservés aux Blancs. Chaque citoyen ne peut donc pas exercer son libre choix en cette matière. De plus, les Noirs n'ont pas le droit de posséder une propriété en territoire blanc.

Au Québec, comme dans les autres pays démocratiques, chaque citoyen peut circuler comme il le désire sur le territoire de son pays. Chaque personne a le droit de se rendre dans les lieux publics qui lui plaisent. En Afrique du Sud, sous le régime de l'apartheid, les Noirs n'ont pas le droit de circuler librement sur le territoire de leur pays. Ils doivent toujours avoir sur eux leur laissez-passer que les autorités policières peuvent exiger de voir en tout temps. Ils n'ont pas le droit d'entrer dans les villes blanches et les territoires des Blancs, sauf s'ils se rendent y travailler. La liberté de travail n'est d'ailleurs pas la même pour les Blancs que pour les Noirs. Ces derniers sont obligés d'accepter tout travail qui leur est offert, même s'il ne correspond pas à leurs attentes ou à leurs qualifications. Également, certains lieux publics sont réservés aux Noirs, tandis que les autres leur sont interdits.

Liberté d'expression

Dans la démocratie québécoise, chaque citoyen est libre d'exprimer son opinion. Le moyen choisi par les pays démocratiques pour que le peuple puisse exprimer son opinion est l'élection d'un gouvernement. Chaque citoyen est libre de créer ou de joindre des partis politiques. Il est libre de voter pour le parti qui représente le mieux sa pensée.

En Afrique du Sud, sous l'apartheid, même les enfants peuvent se faire arrêter par la police.

Les Noirs d'Afrique du Sud n'ont pas la liberté d'habiter où ils veulent. Quand ils travaillent dans les villes blanches, ils doivent habiter des bidonvilles, les *townships*, qui entourent ces villes réservées exclusivement aux Blancs.

En Afrique du Sud, seuls les partis politiques autorisés par le gouvernement blanc ont le droit de présenter des candidats aux élections. Les Noirs n'ont pas le droit de vote. Plusieurs partis politiques créés par les Noirs sont ainsi interdits. Le plus célèbre de ces partis est l'ANC (*African National Congress*) dirigé par Nelson Mandela. Ce parti réclame un système démocratique et a adopté en 1955 une Charte de la liberté qui est son programme politique. Mais ses membres sont pourchassés et emprisonnés par le gouvernement sud-africain. Nelson Mandela est devenu un symbole de la lutte contre l'apartheid. Il a été arrêté pour ses idées une première fois en 1956, puis encore en 1962. Il restera en prison jusqu'en 1990. Pendant cette période, il n'aura pas le droit d'assister à l'enterrement de son fils, de sa mère et de son frère, et lorsqu'il sera finalement libéré, il aura 71 ans. Beaucoup d'autres prisonniers d'opinion mourront en prison.

La population noire sud-africaine ne peut non plus exprimer son opinion par le moyen de manifestations. Dans les pays démocratiques, chaque citoyen est, en principe, libre de manifester pacifiquement. En Afrique du Sud, les manifestations noires sont réprimées durement et l'État n'hésite pas à exercer la violence physique contre ses citoyens comme en témoigne la répression d'une manifestation à Soweto en 1976.

Nelson Mandela est le premier président noir d'Afrique du Sud. Il a été élu en 1994, lors des élections où les Noirs ont eu droit de vote pour la première fois après l'abolition de l'apartheid.

POUR ALLER PLUS LOIN

Fais une recherche sur une personne qui a lutté pour défendre les droits des siens, que ce soit Nelson Mandela, Gandhi, Martin Luther King, Ingrid Bétancourt, Aung San Suu Kyi ou une autre. Fais-la connaître à tes camarades.

5 Qu'est-ce que la liberté selon la Déclaration des droits de l'homme et du citoyen de 1789 ?

La liberté consiste à pouvoir faire tout ce qui ne nuit pas aux autres

6 Qu'est-ce qui permet de protéger la liberté de l'ensemble des citoyens ?

Les lois permettent de protéger la liberté.

7 **a)** Qui est devenu le symbole de la lutte contre l'apartheid ? *Nelson Mandela*

b) Quel parti dirige-t-il ? *L'ANC / L'African National Congress*

c) Qu'arrive-t-il aux membres de ce parti qui militent afin de faire reconnaître les droits des Noirs ?

Ils sont pourchassés et emprisonnés par le gouvernement africain

8 Complète le tableau de comparaison du Québec et de l'Afrique du Sud vers 1980.

Si cette réalité correspond à l'exercice d'une liberté, colorie le carré.

Si cette réalité correspond à la privation d'une liberté, fais un X dans le carré.

	Québec	Afrique du Sud
Résidence	Que ce soit en ville ou à la campagne, chaque citoyens peut posséder et peut résider une propriété ▨	Lieux de résidence réservés aux Noirs et d'autres réservés aux Blancs. Interdiction aux Noirs de posséder une propriété en territoire blanc. ☒
Circulation	Chaque citoyen peut circuler librement sur un territoire de son pays ▨	Interdiction aux Noirs • De circuler librement sur le territoire de leur pays ; • D'entrer dans les villes blanches et les territoires des Blancs, sauf pour le travail. Obligation pour les Noirs de toujours avoir sur eux un laissez-passer. ☒
Lieux publics	Chaque personne a le droit de se rendre dans les lieux publics qui lui plaisent ▨	Certains lieux publics sont réservés aux Noirs tandis que d'autres leur sont interdits ☒
Travail	Les gens peuvent accepter ou refuser un travail. ▨	Les Noirs sont obligés d'accepter tout travail qui leur est offert ☒
Élection	Chaque citoyen peut créer ou être membre d'un parti politique. Chaque citoyen peut voter pour le parti qu'il préfère. ▨	Plusieurs partis politiques créés par les Noirs sont interdits ☒ Les Noirs n'ont pas le droit de vote. ☒
Manifestation	Chaque citoyen peut manifester pacifiquement.	Les manifestations sont réprimés par le gouvernement

ESCALE 3 · Liberté, égalité et fraternité au quotidien

L'égalité

L'article premier de la *Déclaration des droits de l'homme et du citoyen* de 1789 dit que «Les hommes naissent et demeurent libres et égaux en droits.» Cette affirmation a inspiré tous les pays démocratiques qui en ont fait leur priorité. Au Québec, ce principe est affirmé dans la Charte québécoise des droits et libertés, et tous sont considérés égaux devant la loi. Toute discrimination, qu'elle soit basée sur la race, la couleur de la peau, la religion ou les opinions politiques, est interdite. L'État démocratique québécois s'est donc donné pour mission de protéger ses citoyens contre le racisme.

Tous ne sont pas égaux

L'Afrique du Sud, sous le régime de l'apartheid, est un pays qui a institutionnalisé l'inégalité et qui **prône** le racisme. Les autorités sud-africaines veulent préserver la pureté de la race blanche et empêcher toute forme de métissage. Les unions entre les Noirs et les Blancs sont donc interdites tout comme avoir un enfant avec une personne d'une autre race.

Pas les mêmes droits pour tous

Les Blancs ont plus de droits que les Noirs. Comme nous l'avons vu, les citoyens ne possèdent pas le même droit à la liberté. Le régime de l'apartheid favorise les inégalités sociales et économiques. L'inégalité des chances commence dès l'école primaire. À la campagne, les enfants noirs doivent se rendre à pied à l'école. Ils doivent souvent marcher plus de 10 kilomètres, tandis que les enfants blancs voyagent en autobus scolaires.

En Afrique du Sud, les contacts entre les Noirs et les Blancs sont interdits. Mêmes les cabines téléphoniques sont séparées.

prôner : prêcher.

Au Québec, les enfants de toutes les races peuvent jouer ensemble.

9 Observe ces deux photos. Crois-tu que les enfants noirs et les enfants blancs d'Afrique du Sud ont les mêmes droits ?

Enfants blancs d'Afrique du Sud se rendant à l'école en autobus scolaire sous la protection de la police.

Enfants noirs d'Afrique du Sud se rendant à l'école à pied.

L'afrikaans est la langue d'enseignement obligatoire de plusieurs matières à l'école primaire. Les enfants noirs ne parlent pas l'afrikaans mais plutôt une langue bantoue qui est leur langue maternelle. Ils prennent donc du retard dans leur scolarité. Seulement 50 % des enfants noirs obtiennent leur diplôme de fin d'études secondaires, contre 80 % des enfants blancs. Les Blancs disposent de dix universités, tandis que les Noirs ne disposent que de cinq universités alors qu'ils constituent 67 % de la population.

Ces inégalités font que Noirs et Blancs n'ont pas les mêmes chances de trouver des emplois bien rémunérés. Les Noirs ont ainsi un statut économique beaucoup plus précaire que celui des Blancs. Les enfants noirs sont moins bien nourris que les enfants blancs et leur état de santé est beaucoup plus fragile.

La fraternité

La fraternité, au plan individuel, se définit comme une entente profonde qui existe entre deux personnes. Au niveau d'un peuple, on parle du lien qui existe entre des individus qui ont une appartenance commune. Dans un pays démocratique, les citoyens, qui sont considérés comme des égaux, font preuve d'amitié et de bienveillance les uns envers les autres, de solidarité collective. Au Québec, des réseaux de solidarité existent dans la société. Certains de ces réseaux viennent de l'État. Par exemple, tout citoyen malade, peu importe sa race, sa religion ou sa situation économique, a droit à des soins de santé gratuits qui lui sont fournis par l'État.

En Afrique du Sud, la fraternité est une valeur qui ne dépasse pas le cadre de la race. Sous le régime de l'apartheid, les Blancs ne sont solidaires qu'envers les autres Blancs. Les Noirs et les Blancs n'ont pas le droit de se fréquenter, encore moins de lier des amitiés. À l'école, les enfants ne peuvent jouer avec des enfants d'une autre race car les écoles sont séparées. L'État ne se préoccupe pas de la même manière de ses citoyens blancs que de ses citoyens noirs.

Peter Pusztai

Au Québec, ces trois amies ont du plaisir à faire leurs devoirs ensemble.

10 Est-ce qu'en Afrique du Sud, la fraternité existe entre tous les citoyens ? Justifie ta réponse.

_____

_____

_____

_____

La *Déclaration des droits de l'enfant* proclamée par l'Assemblée générale des Nations unies interdit le travail des enfants.

Le travail est interdit s'il compromet notre éducation ou s'il nuit à notre développement physique, mental, moral ou social.

11 Observe les photos ci-dessous. Laquelle des deux représente un enfant qui fait un travail qui semble nuire à son développement ? Justifie ton point de vue.

_____

_____

_____

Au Québec, Antoine âgé de 11 ans, est tout content d'avoir pêché de nombreux poissons avec ses amis au cours d'une journée de vacances.

Au Pakistan, Tarik âgé de 12 ans, est payé 0,60 $ pour chaque ballon qu'il assemble.

CARTE POSTALE

Associe chaque société aux caractéristiques qui la définissent en coloriant les cercles de la couleur appropriée.

Le Québec vers 1980 ●   L'Afrique du Sud vers 1980 ●

○ La majorité de la population est noire.

○ La majorité de la population est blanche.

○ Tous ont les mêmes droits peu importe leur race.

○ La langue de la majorité de la population est une langue bantoue.

○ La langue de la majorité de la population est le français.

○ L'afrikaans est la langue d'enseignement obligatoire de plusieurs matières au primaire, même si ce n'est pas la langue de la majorité de la population.

○ Seuls les partis politiques autorisés par le gouvernement blanc ont le droit de présenter des candidats aux élections. Plusieurs partis politiques créés par les Noirs sont interdits.

○ Chaque citoyen est libre de créer ou de joindre des partis politiques. Il est aussi libre de voter pour le parti qui représente le mieux sa pensée.

○ Des membres d'un parti, qui réclament un système démocratique, sont pourchassés et emprisonnés par le gouvernement.

○ Chaque citoyen peut résider et posséder une propriété où il veut, peu importe sa race.

○ Il existe des lieux de résidence réservés aux Noirs et d'autres réservés aux Blancs.

○ Les Noirs n'ont pas le droit de circuler librement sur le territoire de leur pays. Ils doivent toujours avoir sur eux leur laissez-passer.

○ Chaque citoyen peut circuler comme il le désire sur le territoire de son pays.

○ Chaque citoyen peut se rendre dans les lieux publics qui lui plaisent.

○ Certains lieux publics sont réservés aux Noirs, tandis que les autres leur sont interdits.

○ La liberté de travail est la même pour les Blancs que pour les Noirs.

○ Les Noirs sont obligés d'accepter tout travail qui leur est offert, même s'il ne correspond pas à leurs attentes ou à leurs qualifications.

○ Les citoyens ne sont pas égaux parce que les Blancs sont considérés supérieurs aux Noirs.

○ Tous les citoyens sont égaux, peu importe leur race ou la couleur de leur peau.

○ Les enfants noirs et les enfants blancs n'ont aucun contact car les écoles sont séparées.

○ À l'école publique, les enfants peuvent jouer avec des enfants d'une autre race.

ESCALE 3 · Liberté, égalité et fraternité au quotidien

ESCALE 4

Les Micmacs et les Inuits vers 1980

PROJET

Essaie de mieux connaître la façon dont vivent les jeunes Autochtones du Québec. Tu peux t'intéresser à leurs coutumes et traditions, à leurs fêtes, à leur artisanat, à leur style de vie en général ou encore à un aspect ou l'autre de leur environnement.

Choisis la nation inuite ou l'une des dix nations amérindiennes et, avec tes camarades, trouve la documentation la concernant.

Tu peux apprendre à mieux connaître les jeunes de ces nations en communiquant avec eux. Ton enseignante te donnera quelques adresses Internet de certaines écoles des communautés amérindiennes et inuites qui ont des sites. C'est un moyen qui te permettra d'établir des contacts.

UN COUP D'ŒIL SUR...

Le mode de vie des Micmacs et des Inuits vers 1980

Une sculpture inuite dans la pierre à savon.

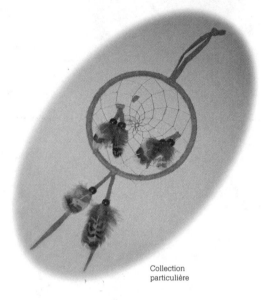

Collection particulière

Le capteur de rêves est un objet traditionnel chez les Amérindiens.

Un exemple de l'artisanat micmac.

La Gaspésie, pays des Micmacs.

Le Grand Nord en été.

Un pique-nique au bord de la rivière Ristigouche en pays micmac.

Découpe les vignettes de la page 127. Elles représentent des aspects de la vie des Micmacs et des Inuits. Colle-les au-dessus de la légende appropriée.

Claudette Fontaine, coll. MEO

Le tannage des peaux est une activité traditionnelle.

Un pique-nique en pays inuit.

L'inuksuk est un point de repère fait de pierres empilées ayant une forme humaine.

Des Inuits chassent encore le morse.

Les Micmacs, peuple de la mer

Un peuple qui veut conserver ses traditions.

Observe la carte de la péninsule gaspésienne et des provinces de l'Atlantique.

Les communautés micmaques de l'Atlantique

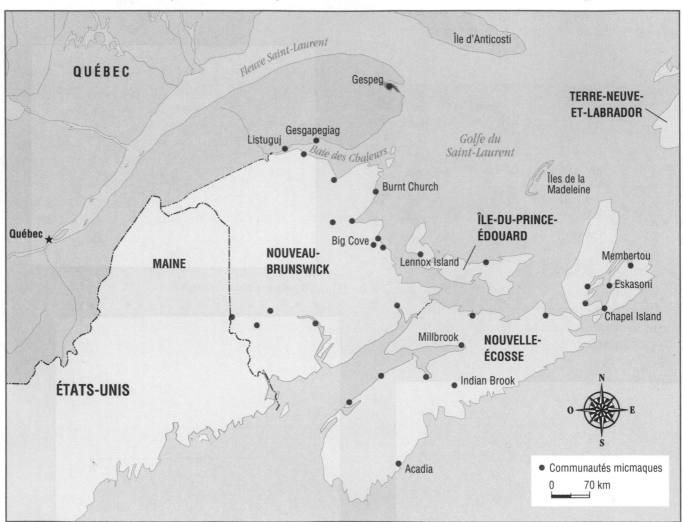

1 Selon toi, pourquoi appelle-t-on les Micmacs « peuple de la mer » ?

Parce qu'ils vivent près de la mer.

Territoire ancestral et réserves modernes

Les Micmacs font partie de la grande famille algonquienne. À l'origine, leur territoire ancestral était immense et comprenait la **péninsule** gaspésienne au Québec, les provinces maritimes du Nouveau-Brunswick, de la Nouvelle-Écosse et de l'Île-du-Prince-Édouard ainsi que le sud de Terre-Neuve. Ce territoire mesurait environ 100 000 kilomètres carrés. La mer était très présente dans la vie des Micmacs. Lors de son deuxième voyage au Canada, Jacques Cartier a été accueilli par ce peuple de la mer.

Les Micmacs vivent encore aujourd'hui sur une toute petite partie de leur territoire ancestral. Ils sont cependant confinés dans des territoires qui leur ont été alloués au 19e siècle et qu'on appelle des **réserves**. Les réserves qu'ils occupent aujourd'hui ne représentent plus que 1/4 de 1 % de leurs anciens territoires.

Un canot micmac sur la rivière Ristigouche en 1878.

La *Loi sur les Indiens*

Les Micmacs sont des Amérindiens. Comme toutes les autres nations amérindiennes au Canada, ils sont régis par la *Loi sur les Indiens*. Cette loi, votée par le Parlement fédéral en 1876, leur donne un statut différent de celui des autres citoyens canadiens. Par exemple, les Amérindiens peuvent vivre dans une réserve.

Jusqu'en 1985, les Amérindiens avaient droit à ce statut particulier seulement s'ils étaient inscrits au registre du ministère des Affaires indiennes et du Nord du gouvernement fédéral du Canada. Depuis, d'importantes modifications ont été apportées à la loi. C'est le ministère des Affaires indiennes qui administre et définit la vie des Amérindiens du Canada.

Les Amérindiens qui ne sont pas inscrits à ce registre ne sont pas reconnus comme des Amérindiens au sens de la loi. Ils ont alors le statut de n'importe quel autre citoyen canadien.

péninsule : grande presqu'île.

réserve : territoire alloué aux Amérindiens par le gouvernement fédéral.

hameau : petit regroupement de maisons.

La population

En 1980, la population micmaque, qui est d'environ 25 000 personnes, est organisée en 29 bandes. Environ 15 000 Micmacs vivent dans les provinces maritimes canadiennes, dans des villages ou des **hameaux** situés dans les réserves fédérales. Ces réserves sont presque toutes situées près de la mer.

Population micmaque de l'Atlantique	
Nouvelle-Écosse	13 bandes
Nouveau-Brunswick	9 bandes
Québec	3 bandes
Île-du-Prince-Édouard	2 bandes
Terre-Neuve	1 bande
Maine (É.-U.)	1 bande

Les Micmacs du Québec

Les trois bandes micmaques du Québec vivent en Gaspésie. L'une d'entre elles est installée à Restigouche (aujourd'hui Listuguj), près de la frontière du Nouveau-Brunswick. C'est une communauté de 2848 personnes, dont 2042 vivent dans la réserve. Une autre bande vit à Maria (maintenant Gesgapegiag), sur la rive nord de la baie des Chaleurs. Sur les 1026 Micmacs de Maria, 476 vivent dans la réserve même. Les 452 Micmacs de Gaspé (Gespeg) n'ont pas de réserve. Ils vivent dans la ville et ses environs et sont en étroite relation avec les non-Autochtones.

Une grande nation

Les Micmacs vivaient dans un réseau de bandes. Toutes ces bandes formaient une grande nation partageant une langue et une culture commune, différentes de celles des nations algonquiennes environnantes et des autres groupes amérindiens. En 1980, les bandes micmaques sont encore bien organisées.

Un capteur de rêves.

3 Qui suis-je ?

L'une des deux grandes familles amérindiennes dont les Micmacs font partie.	*La famille algonquienne*
Le découvreur du Canada accueilli par les Micmacs en 1534.	*Jacques Cartier*
La loi qui donne aux Amérindiens une existence légale différente de celle des autres citoyens canadiens.	*La Loi sur les Indiens*
Le ministère qui administre et définit la vie des Amérindiens du Canada.	*Le Ministère des Affaires indiennes*
Les territoires alloués aux Amérindiens par le gouvernement fédéral.	*Les réserves*

4 Le diagramme à pictogrammes ci-dessous représente la population micmaque des trois bandes du Québec. Écris à l'endroit approprié :

> bande de Gespeg (Gaspé) — bande de Gesgapegiag (Maria) — bande de Listuguj (Restigouche)

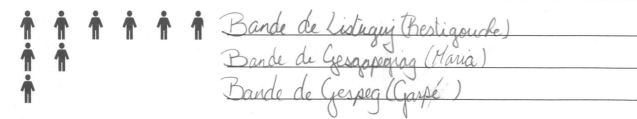

Bande de Listuguj (Restigouche)
Bande de Gesgapegiag (Maria)
Bande de Gespeg (Gaspé)

5 Dans quelle province retrouve-t-on la majorité des bandes micmaques ? *Nouvelle-Écosse*

6 Dans quel autre pays vivent les Micmacs ? *Aux États-Unis*

98

La survie du peuple micmac

Au tournant du 20ᵉ siècle, la nation micmaque était sur le point de disparaître. Mais depuis les années 1960, les Micmacs ont redonné à leur nation une grande **vitalité** culturelle et politique. C'est pourquoi la nation micmaque existe toujours en 1980. Toutefois, comme beaucoup d'autres nations amérindiennes, elle est déchirée dans le choix de son mode de vie. Les Micmacs désirent-ils vivre selon un mode de vie ancestral ou selon un mode de vie moderne ? ???

L'identité micmaque

Traditionnellement, les bandes micmaques étaient nomades. Mais ce mode de vie a été grandement perturbé quand les Micmacs ont dû aller vivre dans des réserves. Or, la pauvreté y est grande et le taux de chômage est élevé. Par conséquent, ce sont surtout des personnes âgées qui, après avoir travaillé à l'extérieur de la réserve, reviennent y vivre à l'âge de la retraite. Il y a aussi beaucoup de femmes et d'enfants qui demeurent dans les réserves.

La survie culturelle

En raison de cette grande mobilité, la survie de la culture des Micmacs dépend beaucoup des liens que les différentes communautés tissent entre elles. Ces liens se traduisent par un certain nombre de rites et d'**us et coutumes**. Par exemple, le mariage, l'hospitalité offerte aux voyageurs micmacs de passage et les grandes fêtes traditionnelles permettent aux Micmacs de garder leurs traditions bien vivantes.

7 Observe la photo ci-contre. Nomme deux éléments liés aux traditions ancestrales et deux éléments liés à la vie moderne.

Traditions ancestrales :

① Ils sont coiffés de plumes.

② Ils ont des costumes traditionnels

③ Objets pour des rituels.

Mode de vie moderne :

① Vêtements actuels

② Maisons modernes

---

vitalité : énergie, vigueur.

us et coutumes : habitudes.

POUR ALLER PLUS LOIN

Imagine que tu fais partie de la nation micmaque. Est-il possible pour un jeune de ton âge de conserver ses traditions et son mode de vie ancestral dans une société de consommation comme celle dans laquelle nous vivons ? Regroupez-vous en équipes et essayez de trouver :

- des façons de concilier les deux modes de vie ;
- ou les raisons pour lesquelles ce n'est possible que partiellement ;
- ou encore les raisons pour lesquelles ce n'est pas possible.

Un *pow wow* micmac.

Félix Atencio, coll. MEQ

antuconstitutionnellement (handwritten in top margin)

La langue

Les Micmacs sont également soucieux de préserver leur langue, car ils considèrent que c'est une question de survie culturelle. En 1980, dans certaines réserves, on utilise encore la langue micmaque comme langue d'usage. Toutefois, dans la plupart des foyers, les enfants apprennent cette langue sans avoir beaucoup l'occasion de la parler. Au Québec, à Listuguj et à Gesgapegiag, on enseigne la langue micmaque à l'école, mais on parle surtout anglais à la maison. Les Micmacs de Gaspé, intégrés à la population locale, parlent plutôt le français. Pour la plupart des Amérindiens, l'anglais est la langue qui leur permet de communiquer facilement avec les autres nations autochtones du Canada et des États-Unis.

SAVAIS-TU...

Depuis 1991, les Jeux interbandes réunissent les jeunes athlètes autochtones des Premières nations du Québec. Cet événement sportif d'envergure est aussi une rencontre sociale et culturelle où, à tour de rôle, les nations font connaître leur culture, leurs traditions et leurs coutumes.

8 Pourquoi les Micmacs sont-ils devenus sédentaires?

Car ils sont allés vivre dans les réserves

9 Pour quelle raison les Micmacs veulent-ils préserver leur langue?

Car Elle est essentielle à leur survie culturelle

COMMENT DIT-ON?

Français	Micmac
Je t'aime.	Kesalul
Quel est ton nom?	Taluisin kíl?
S'il vous plaît.	Ké
Merci	Welálin, Weláliek
Je vous en prie.	Weliaq
Comment allez-vous?	Mé talwléin?
Je vais bien.	Weléi

10 La langue micmaque est menacée, bien qu'elle soit enseignée à l'école à Listuguj et à Gesgapegiag. Donnes-en la raison.

Étant donné qu'il existe plusieurs communautés, l'anglais est donc leur façon de communiquer.

11 Quels moyens permettent aux Micmacs de garder leurs traditions bien vivantes?

Réunions, fêtes, mariages et l'hospitalité du voyageur

Les croyances religieuses

En 1610, le grand chef micmac Membertou s'est converti à la religion catholique. Le Grand Conseil des Micmacs et le pape conclurent alors un traité par lequel les Micmacs acceptaient de protéger les prêtres et les colons catholiques français. En retour, l'Église accordait certains pouvoirs religieux aux Micmacs.

SAVAIS-TU...

Le Grand Conseil s'occupe du bien-être spirituel du peuple micmac. En l'absence de prêtres catholiques, les membres du Grand Conseil, peuvent même diriger la prière commune dans les paroisses.

Encore en 1980, une majorité de Micmacs se déclarent catholiques. Cependant, un nombre grandissant d'entre eux s'intéressent à une spiritualité plus proche de leurs traditions amérindiennes. On observe alors un mélange culturel de croyances et de rituels appartenant à la fois au catholicisme et à la tradition micmaque. Ce mélange inclut même des rites associés à d'autres traditions spirituelles amérindiennes, comme le rituel de la danse du Soleil, typique des coutumes amérindiennes des plaines de l'Ouest.

La *Sante' Mawio'mi*

Les cérémonies religieuses qui proposent ainsi un mélange des traditions sont devenues très populaires. Par exemple, deux événements importants ont lieu en même temps : le Grand Conseil des Micmacs et la fête catholique de Sainte-Anne.

La réunion du Grand Conseil est la plus ancienne et la plus respectée des institutions micmaques. Son nom micmac est *Sante' Mawio'mi*, ce qui veut dire «réunion sainte», en l'honneur de sainte Anne, devenue la sainte patronne des Micmacs. Depuis l'arrivée des premiers colons français, les célébrations religieuses de la fête de Sainte-Anne ont lieu le 26 juillet de chaque année.

Mi' gmawei Mawiomi

Célébration de la fête de Sainte-Anne à Chapel Island.

Cette rencontre annuelle de la *Sante' Mawio'mi* est une grande fête où s'expriment la foi catholique et la culture traditionnelle micmaque. Elle a lieu à Chapel Island, à l'île du Cap-Breton en Nouvelle-Écosse. On élit un grand chef parmi les membres du Grand Conseil. On célèbre une messe suivie par une communion générale. Ensuite, le grand chef, se rend devant l'église pour y prononcer un discours. On promène ensuite la statue de Sainte-Anne entre deux rangées de drapeaux et de bannières micmaques. Tout au long de cette cérémonie, on chante des hymnes chrétiens en langue micmaque.

Félix Atencio, coll. MEQ

Des familles micmaques font un pique-nique au bord de la rivière Ristigouche.

Puis, vient le temps des réjouissances. On s'adonne à des danses amérindiennes et on célèbre des baptêmes catholiques, des mariages, on fume le calumet micmac. Les cérémonies sont également l'occasion de discuter politique, de régler des querelles et de renouer avec les membres des communautés plus éloignées.

Un exemple de l'artisanat traditionnel micmac.

Collection particulière

Des activités économiques modernes

Certaines activités permettent aux communautés micmaques de diversifier leur économie. Au Québec, par exemple, les Micmacs connaissent depuis 1980 un essor économique lié au développement du tourisme, de l'artisanat, de l'art et de l'industrie de la pêche.

Tourisme

À Listuguj, en 1990, on a reconstitué un village micmac typique du 17ᵉ siècle. On a aussi **renfloué** un bateau français, le *Marquis-de-Malauze*, qui avait sombré en 1760 lors de la dernière bataille navale de la guerre de la Conquête. En 1992, à Gaspé, on a reconstitué un campement micmac du 16ᵉ siècle.

Le tannage des peaux est une activité traditionnelle encore pratiquée à Listuguj.

Pêche

L'industrie de la pêche est régie par des ententes entre les différents paliers de gouvernements. Cette activité économique occasionne parfois de grands conflits entre Amérindiens et non-Autochtones.

renflouer : remettre à flot.

13 Quelle est la particularité de la *Sante' Mawio'mi* ?

_____

_____

14 Quelles sont les deux activités qui ont permis à l'économie des communautés micmaques de connaître un essor ?

_____

15 Quelles sont les principales attractions touristiques micmaques de Listuguj et de Gaspé ?

_____

_____

_____

En bref

Les 29 bandes micmaques, qui font partie de la famille algonquienne, perpétuent leurs traditions. Les Micmacs essaient de conserver leur langue et leur culture. Les bandes micmaques du Québec vivent en Gaspésie. Elles connaissent depuis 1980 un essor économique lié au développement du tourisme et de l'industrie de la pêche.

17 Sur cette carte du Québec, encercle le nom de la communauté amérindienne la plus près de chez toi. De quelle nation fait-elle partie?

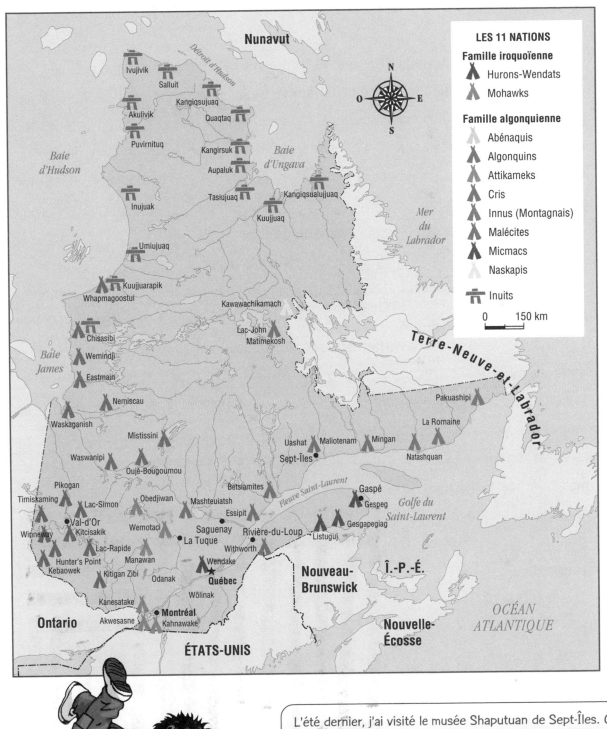

LES 11 NATIONS

Famille iroquoïenne
- Hurons-Wendats
- Mohawks

Famille algonquienne
- Abénaquis
- Algonquins
- Attikameks
- Cris
- Innus (Montagnais)
- Malécites
- Micmacs
- Naskapis

- Inuits

0   150 km

L'été dernier, j'ai visité le musée Shaputuan de Sept-Îles. Ce musée m'a fait découvrir les activités et les coutumes du peuple innu. Connais-tu les coutumes d'une nation amérindienne du Québec ou d'ailleurs?

103

CARTE POSTALE

1 Complète les énoncés ci-dessous à l'aide des mots cachés de la grille.

Les _Micmacs_, surnommés le peuple de la mer, ont accueilli Jacques _Cartier_ à Gaspé. Ils font partie de la famille _Algonquienne_. Autrefois _nomades_, les Micmacs vivent généralement sur des _réserves_ presque toutes situées près de la _mer_. Comme les autres _Amérindiens_, ils sont régis par la _Loi_ sur les Indiens. Il y a 29 _bandes_ micmacques, dont trois au Québec. Ces trois bandes vivent en _Gaspésie_ qui est une _péninsule_. L'une de ces bandes est installée à Restigouche, aujourd'hui _Listuguj_, l'autre à Maria, aujourd'hui _Gesgapegiag_ et la dernière, _Gespeg_, ne vit pas dans une réserve mais dans la région de Gaspé. Les activités économiques importantes de cette nation sont le _tourisme_ et la _pêche_ qui est régie par des _ententes_ entre les gouvernements. Toutes les bandes micmaques forment une grande nation partageant une _langue_ et une _culture_ communes. La survie de cette nation dépend beaucoup des liens existant entre les bandes. Ces liens se traduisent par un certain nombre de rites, d'_us_ et de _coutumes_. L'une d'elles est la rencontre annuelle qui a lieu lors de la fête de Sainte-_Anne_, patronne des Micmacs. Cette fête donne lieu à plusieurs activités : _ELECTION_ d'un grand chef, célébration de la _MESSE_, procession de la statue de Sainte-Anne, _danses_ amérindiennes.

2 Complète la phrase suivante.

La rencontre annuelle qui a lieu lors de la fête de Sainte-Anne est la Sante' _NAWIOMI_

G	M	P	A	L	O	I	W	G	E	S	P	E	G
A	M	E	R	I	N	D	I	E	N	S	M	E	R
S	I	N	E	S	O	C	C	S	M	E	S	S	E
P	C	I	S	T	M	A	U	G	P	E	C	H	E
E	M	N	E	U	A	R	L	A	N	G	U	E	E
S	A	S	R	G	D	T	T	P	D	I	B	N	L
I	C	U	V	U	E	I	U	E	A	A	A	T	E
E	S	L	E	J	S	E	R	G	N	N	N	E	C
U	S	E	S	O	M	R	E	I	S	N	D	N	T
T	O	U	R	I	S	M	E	A	E	E	E	T	I
C	O	U	T	U	M	E	S	G	S	I	S	E	O
A	L	G	O	N	Q	U	I	E	N	N	E	S	N

Les Inuits, peuple du Nord

Une société encore très traditionnelle qui se modernise peu à peu.

Le Grand Nord

Observe la carte. Ces territoires sont habités par des Inuits.

1 Un seul de ces territoires inuits se trouve en sol québécois. Lequel ?

Le territoire ancestral

Il y a plus de 35 000 ans, une vaste plaine herbeuse, la Béringie, s'étendait de la Sibérie à l'Alaska. Sur cette terre, il y avait des mammouths, des bisons, des bœufs musqués et des caribous. C'est en poursuivant ces animaux que les ancêtres des Inuits et des Amérindiens sont passés d'Asie en Amérique. Aujourd'hui, la vaste plaine herbeuse de Béringie a fait place au détroit de Béring. Contrairement aux Amérindiens, les Inuits sont restés au nord de la ligne des arbres, c'est-à-dire la limite au-delà de laquelle les arbres ne poussent plus. Ils habitent le Grand Nord, la région arctique de l'Amérique du Nord, qui s'étend du détroit de Béring jusqu'à l'est du Groenland sur plus de 6000 kilomètres. Les Inuits se sont installés dans les deux zones climatiques les plus froides du Canada, la zone arctique et la zone subarctique.

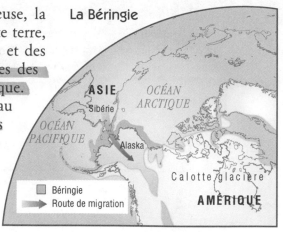

La Béringie

Milieu de vie

La zone arctique se trouve à la hauteur du 60e parallèle. Les hivers très rigoureux sont suivis d'une courte saison de dégel. Les températures moyennes sont en été de 5 °C et en hiver de –25 °C. Le pergélisol couvre la région entière, ce qui rend toute activité agricole impossible. Les seules plantes qui poussent sous ce climat sont les lichens, les mousses et les arbustes nains. C'est la toundra arctique où vivent les ours polaires, les caribous, les lièvres, les renards arctiques et les lemmings. On y trouve une abondance de poissons et de mammifères marins, comme les phoques ou les morses.

SAVAIS-TU...

On a longtemps appelé les Inuits «Eskimos», ce qui signifie «mangeur de viande crue». Comme ils n'aimaient pas ce terme, ils se sont nommés «Inuits», ce qui signifie «hommes» dans leur langue.

Rassemblement d'Inuits dans la toundra.

Dans la zone subarctique, un peu plus au sud, le climat est à peine plus clément. En été, les nuits restent fraîches. Même en juillet, les températures ne vont pas au-delà de 10 °C le jour. En hiver, la température moyenne de janvier est de –20 °C. Comme le pergélisol ne couvre qu'une partie de la zone, la végétation y est plus variée. On y trouve de petits conifères comme l'épinette noire et le mélèze. Le caribou, le saumon, et l'**omble** de l'Arctique y sont également plus nombreux.

omble : truite.

2 Comment les ancêtres des Inuits et des Amérindiens sont-ils passés d'Asie en Amérique ?

En poursuivant le gros gibier, ils sont passés de la Sibérie à l'Alaska.

3 Complète le tableau.

	Zone arctique	Zone subarctique
Température moyenne	Hiver : *–25 °C* Été : *5 °C*	Hiver : *–20 °C* Été : *10 °C*
Végétation	Toundra arctique : *lichens, mousses, arbustes nains*	*Petits conifères comme l'épinette noire et le mélèze*
Faune	*Ours polaires, caribous, lièvre, renard arctique, lemmings, abondance de poissons, phoques ou morses.*	*Caribous, saumon et omble de l'arctique*

Partage du territoire

Au moment de la Confédération, en 1867, toutes les communautés inuites étaient situées sur la vaste Terre de Rupert qui appartenait alors à la Compagnie de la baie d'Hudson. Le Canada a acheté ce territoire dont une grande partie est devenue les Territoires du Nord-Ouest et a négocié des ententes territoriales avec les milliers d'Amérindiens qui y vivaient.

SAVAIS-TU...

Jusque dans les années 1950, les Inuits se déplaçaient d'un campement à l'autre à la recherche du gibier qui se trouvait plus au sud. Pendant les longs mois de l'hiver arctique, ils vivaient dans des igloos et durant les courts mois de l'été, ils vivaient dans des tentes faites de peaux d'animaux.

À cette époque, le gouvernement fédéral n'a pas cru bon de négocier des ententes territoriales avec les Inuits qui continuèrent donc de vivre de manière isolée, dans une grande pauvreté, nouant très peu de contacts avec le reste des Canadiens ou des Québécois.

Nunavik, Nunavut et Territoires du Nord-Ouest

Au début des années 1950, les Inuits vivent dans une grande misère. Le gouvernement canadien les incite donc fortement à abandonner leur mode de vie traditionnel nomade et les encourage à devenir sédentaires. Il leur fournit des habitations dans des villages et leur construit des écoles, des installations médicales, des aéroports et des commerces modernes.

Nunavik

En 1975, les Inuits habitant le nord du Québec signent avec le gouvernement québécois, un traité qui établit leurs droits de propriété sur le territoire qu'ils habitent. Il s'agit de la Convention de la baie James et du Nord. Ce territoire se nomme le Nunavik et s'étend vers le nord à partir du 55e parallèle. Il représente le tiers de la superficie du territoire de la province, soit 500 000 kilomètres carrés.

Nunavut

Les Inuits de l'est et du centre de l'Arctique canadien ont pour leur part proposé, en 1976, la création d'un nouveau territoire qui s'appellerait le Nunavut, ce qui signifie «notre terre» en langue inuite. Ce nouveau territoire est constitué d'une partie des Territoires du Nord-Ouest. Le Nunavut est devenu officiellement un territoire du Canada le 1er avril 1999. Sa superficie représente un cinquième du pays et son littoral, le plus long au monde, se transforme en banquise côtière de quatre à douze mois par année. On y trouve de grands gisements de gaz et de pétrole.

Territoires du Nord-Ouest

Les Inuits qui vivent dans la partie ouest de l'Arctique canadien ont négocié leur propre entente territoriale avec le gouvernement fédéral canadien et celui des Territoires du Nord-Ouest. Ils ont accès aux riches réserves de pétrole et de gaz de la mer de Beaufort.

4 Complète la phrase suivante.

Au moment de la Confédération en _1867_ , toutes les communautés inuites étaient situées sur la vaste _Terre de Rupert_ qui appartenait alors à la _Compagnie de la Baie d'Hudson_ .

5 Que fait le gouvernement canadien pour inciter les Inuits à abandonner leur mode de vie traditionnel nomade et pour les encourager à devenir sédentaires?

Il leur fournit des habitations dans des villages et leur construit des écoles, des installations médicales, des aéroports et des commerces modernes.

6 Écris le nom qui correspond à l'énoncé de la colonne de gauche.

Ce territoire représente le cinquième de la superficie du territoire du Canada.	*Le Nunavut*
Ce territoire représente le tiers de la superficie du territoire du Québec.	*Le Nunavik*
Territoire dans la partie ouest de l'Arctique canadien.	*Le Territoire du Nord-Ouest*
Traité signé avec le gouvernement québécois qui établit les droits de propriété des Inuits sur le territoire qu'ils habitent.	*La Convention de la Baie James et du Nord.*

7 Quand le Nunavut est-il devenu officiellement un territoire du Canada ? *Le 1er avril 1999*

La population

Les Inuits ne sont pas soumis à la *Loi sur les Indiens* qui réglemente la vie des Amérindiens depuis 1876. Il n'y a donc pas de réserves sur le territoire inuit. Les villages où vivent les Inuits sont considérés comme n'importe quelle municipalité au Canada.

Lors du recensement canadien de 1981, la population inuite comptait 25 390 personnes et représentait 5 % de la population autochtone canadienne. Au Nunavik, les Inuits sont environ 8000 personnes, tandis qu'ils sont environ 15 000 au Nunavut. La population inuite est jeune. Plus de 40 % des Inuits ont moins de 15 ans, 60 % ont moins de 25 ans, et seulement 2,4 % sont âgés de plus de 65 ans. Il est à noter que l'espérance de vie des Inuits est plus basse que celle de la moyenne canadienne.

Les sociétés inuites se sont très peu mélangées à d'autres peuples. L'éloignement et le manque de moyens de transport ne favorisaient pas les contacts. Malgré le mouvement de sédentarisation, les Inuits ont le mode de vie le moins urbain des Autochtones canadiens. Ainsi, en 1980, seulement un cinquième d'entre eux vit en ville. Au Nunavik, on trouve 14 petites communautés villageoises éparpillées sur les 2500 kilomètres de côtes le long de la baie d'Hudson et de la baie d'Ungava. Chacune de ces communautés possède un conseil de village constitué d'un maire et de conseillers élus tous les deux ans. Par ailleurs, quelques centaines d'Inuits vivent en dehors de ces communautés sédentarisées et ont conservé leur mode de vie nomade.

SAVAIS-TU...

Les Inuits ont d'abord appelé les premiers hommes venus du Sud *qallunat*, ce qui veut dire littéralement « gros sourcils ». Pour les Inuits, la barbe et les poils de ces hommes du Sud étaient en effet un sujet d'étonnement. Aujourd'hui, on utilise le terme *qallunat* pour décrire tous ceux qui ne sont pas autochtones, peu importe leur origine.

Une pièce de théâtre jouée par de jeunes Inuits.

ESCALE 4 · Les Inuits, peuple du Nord

8 Indique si les énoncés suivants sont vrais ou faux.

	Vrai	Faux
Les Inuits sont soumis à la *Loi sur les Indiens*.		✓
Chacune des communautés inuites du Nunavik possède un conseil de village constitué d'un maire et de conseillers élus tous les deux ans.	✓	
Les villages où vivent les Inuits ne sont pas des réserves et sont considérés comme n'importe quelle municipalité au Canada.	✓	
Au Canada, les Inuits sont aussi nombreux que les Amérindiens.		✓
L'espérance de vie des Inuits est plus basse que celle de la moyenne canadienne.	✓	
Les Inuits ont le mode de vie le plus urbain des autochtones canadiens.		✓
Tous les Inuits sont sédentaires.		✓

Entre tradition et modernité

La famille
Traditionnellement, la famille est au cœur de la culture inuite. C'est un peu comme le ciment qui unit la communauté. Par exemple, après la chasse on partage l'animal abattu avec ceux qui ne sont pas en mesure de chasser, comme les personnes âgées, les jeunes enfants et les femmes. La survie des membres de la communauté en dépend. Or, cette vie communautaire a beaucoup évolué depuis la sédentarisation. Entre autres, le réseau familial a énormément changé. Les familles monoparentales sont devenues plus nombreuses.

Une grand-maman et sa petite fille.

kawaiiiii

La langue
L'inuktitut est la langue d'usage des Inuits. En 1981, la presque totalité de tous les Inuits du Canada parlaient l'inuktitut. Au Nunavik, une loi exige que l'enseignement à l'école primaire soit d'abord donné en inuktitut jusqu'à la 3ᵉ année. Ensuite, on commence à enseigner l'anglais ou le français, au choix. C'est la commission scolaire Kativik qui a la responsabilité de l'enseignement primaire et secondaire ainsi que de l'éducation des adultes. En 1980, la majorité de la population inuite a moins de neuf ans de scolarité.

Inuits croient fort aux ours polaires.

Les croyances religieuses

Les croyances traditionnelles
Traditionnellement, la société inuite est une société de chasseurs qui entretient des liens puissants avec la terre et l'environnement. Ces liens se reflètent dans les croyances religieuses traditionnelles. Les Inuits considèrent en effet que dans chaque phénomène naturel se trouve une force spirituelle.

SAVAIS-TU...

Chez les Inuits, on croit que l'ours polaire est supérieur à l'homme, qu'il le surpasse en force. Un immense prestige est associé à sa capture, malgré sa faible valeur économique.

ARCOBALENO! ♡ VONGOLA! ♡

Ainsi, un oiseau, un poisson, le vent et la neige, une simple pierre ou un bâton posséderaient des caractéristiques humaines selon leur force spirituelle respective. Les Inuits croient que ces forces peuvent représenter un danger si on ne les respecte pas.

Les croyances chrétiennes

Au tournant du 20e siècle, des missionnaires catholiques et anglicans sont allés dans le Grand Nord convertir les Inuits au christianisme. De nos jours, la majorité des Inuits se définissent comme chrétiens. Cependant, on observe des mélanges entre croyances chrétiennes et croyances traditionnelles. Par exemple, on croit encore en 1980, que l'âme des morts continue de vivre chez le nouveau-né à qui on donne le prénom d'une personne qui vient de mourir.

Le village de Kangiqsujuaq, sur la côte du détroit d'Hudson.

9 Pyramide de mots sur la vie des Inuits.

1. La première lettre de la commission scolaire qui a la responsabilité de l'enseignement primaire et secondaire ainsi que de l'éducation des adultes au Nunavik.

2. Au Nunavik, une _lou_ exige que l'enseignement, jusqu'à la 3e année du primaire, soit d'abord donné dans la langue maternelle des Inuits.

3. Selon la tradition, la société inuite est une société de chasseurs qui entretient des liens puissants avec la _Terre_ et l'environnement.

4. Traditionnellement, la _famille_ est au cœur de la culture inuite.

5. La langue parlée par les Inuits est l'_inuktitut_.

6. Les liens puissants des Inuits avec la terre et l'environnement se reflètent dans les croyances _religieuses_ traditionnelles.

7. Au tournant du 20e siècle, des missionnaires catholiques et anglicans sont allés convertir les Inuits au _christianisme_.

8. La _sédentarisation_ a eu un impact sur la vie communautaire : le réseau familial a énormément changé et les familles monoparentales sont beaucoup plus nombreuses.

1. K
2. L O I
3. T e r r e
4. F a m i l l e
5. i n u k t i t u t
6. r e l i g i e u s e s
7. C h r i s t i a n i s m e
8. S é d e n t a r i s a t i o n

10 Pourquoi donne-t-on le nom d'une personne décédée à un nouveau-né ?

Pour l'âme des morts continue de vivre dans le nouveau-né qu'en
que

Les activités économiques

Les activités économiques traditionnelles

Traditionnellement, les Inuits possédaient très peu de biens. Certaines familles avaient un kayak ou un traîneau et des chiens, qui leur permettaient de se déplacer et de chasser plus facilement.

seuls biens qu'ils nont

La chasse, moyen de survie

La préoccupation essentielle des communautés inuites était la survie. Les animaux qui se trouvaient sur leur territoire étaient chassés pour subvenir aux besoins de la communauté. Par exemple, les Inuits chassaient les mammifères marins, en particulier le phoque qu'ils tuaient au harpon. Ils utilisaient sa chair comme base de leur alimentation, sa peau pour fabriquer des vêtements et des lanières de cuir et l'huile pour se chauffer et s'éclairer. Parmi les mammifères terrestres, le caribou était autrefois le plus important et le plus utilisé. Mais aujourd'hui, il est disparu du Grand Nord et ne se retrouve plus que dans les régions plus au sud.

SAVAIS-TU...

Le traîneau à chiens reste un moyen de transport privilégié dans le Grand Nord. Ce type de traîneau permet de préserver le mode de vie ancestral et il coûte moins cher que la motoneige. Ce qui n'empêche pas les Inuits d'utiliser fréquemment la motoneige.

PhotoDisc

La traite des fourrures

Dans la première moitié du 20e siècle, la fourrure du renard blanc était très en demande dans les pays occidentaux. On a donc ouvert des centres de traite qui permettaient aux chasseurs inuits d'échanger leurs fourrures. Les produits que les Inuits recevaient en échange des peaux ont petit à petit sensibilisé ces Autochtones à un mode de vie qui leur était étranger. Mais au début des années 1950, ces fourrures ne sont plus en demande et plus personne ne veut les acheter.

Sagmai

Une coopérative d'artisanat.

Sagmai

Une coopérative d'alimentation.

11 Complète les phrases avec les mots suivants.

~~chiens~~ – ~~communauté~~ – ~~kayak~~ – ~~survie~~

Autrefois, la _survie_ était la principale préoccupation des Inuits. Ils chassaient les animaux pour subvenir aux besoins de la _communauté_. Les biens qu'ils possédaient, un _kayak_ ou un traîneau et des _chiens_, leur permettaient de se déplacer et de chasser plus facilement.

112

12 Le phoque était un animal très apprécié des Inuits. Que faisaient-ils avec

a) sa chair ? _C'était la base de leur alimentation_ ;

b) sa peau ? _On fabriquait des vêtements et des lanières de cuir._ ;

c) son huile ? _On se chauffait et on s'éclairait._ .

13 Parmi les mammifères terrestres, lequel était autrefois le plus important et le plus utilisé ?

C'est le caribou

14 Quelle activité économique a connu un essor durant la première moitié du 20ᵉ siècle ?

La traite des fourrures, celle du renard blanc en particulier.

Les activités économiques modernes

Après la Deuxième Guerre mondiale et l'effondrement des prix de la fourrure au début des années 1950, c'est l'établissement d'industries minière et pétrolière qui a contribué à transformer le mode de vie des Inuits. L'absence de routes est l'un des plus grands défis à surmonter pour rompre l'isolement des communautés inuites du Grand Nord. En effet, aucun réseau routier n'existe dans cette partie du Canada. Le pergélisol qui couvre une grande partie de ce territoire empêche la construction de routes. Les seuls moyens de relier les villages nordiques aux autres régions sont le bateau et surtout l'avion.

Art et artisanat

Beaucoup d'Inuits sont des artistes. D'après une étude sur la population active du Nunavut menée en 1999, 27 % de la population produit des objets d'art et d'artisanat. Le développement des activités artistiques et artisanales est une source de revenus importante. On estime que ces activités rapportent 20 millions de dollars par année.

Commerce et coopératives

Dans les années 1960, les Inuits ont mis sur pied des coopératives pour contrôler la vente de leurs œuvres d'art, l'exportation des fourrures et l'importation des marchandises. Ces coopératives ont aussi permis aux Inuits de faire du commerce directement avec le reste du pays. Il existe des magasins coopératifs dans 13 des 14 villages inuits du Nunavik. Ces magasins importent les denrées venues du sud du pays, comme les fruits et les légumes ou encore les viandes qu'on ne trouve pas dans le Grand Nord. L'ouverture de ces coopératives a contribué à modifier profondément les habitudes alimentaires des populations inuites.

R. Renaud

L'inuksuk est un point de repère pour les habitants du Grand Nord.

Les Inuits utilisent aujourd'hui des bateaux de pêche modernes.

Tourisme, chasse et pêche

Au Québec, les traités signés avec les communautés inuites ont grandement aidé au développement économique. En vertu de ces conventions, les populations inuites bénéficient d'un programme spécial destiné à soutenir les activités traditionnelles de chasse, de pêche et de piégeage.

Cela a permis également un développement de l'industrie du tourisme. Les Inuits se sont impliqués dans le transport aérien et dans l'industrie de la construction. Mais malgré tous ces efforts, la population inuite reste assez pauvre dans son ensemble.

15 Explique pourquoi il n'existe aucun réseau routier dans cette partie du Canada.

A cause du pergélisol

16 Comment peut-on relier les villages nordiques aux autres régions ?

L'avion et le bateau.

17 Est-ce que l'art et l'artisanat sont des activités économiques importantes pour les Inuits ? Justifie ton point de vue.

Oui, cette activité rapporte, par année, 30 millions.

18 Comment les Inuits ont-ils pu conserver le contrôle de la vente de leurs œuvres d'art, de l'exportation des fourrures et de l'importation des marchandises ?

On a mis sur pied des coopératives.

En bref

Les Inuits habitent la région arctique de l'Amérique du Nord. Ce vaste territoire comprend le Nunavik, le Nunavut et les Territoires du Nord-Ouest. En 1981, la population inuite est de 25 390 personnes dont environ 8000 au Nunavik. Les Inuits parlent l'inuktitut. La plupart sont chrétiens même s'ils ont conservé certains rites traditionnels. Leurs activités économiques sont diversifiées : art et artisanat, commerce, chasse, pêche, piégeage, tourisme, transport aérien, construction, industries minière et pétrolière.

19 Observe attentivement cette photo. Nomme deux traces visibles du mode de vie traditionnel des Inuits et deux traces visibles du mode de vie moderne.

Voici une photo que notre enseignante a prise au Nunavik.

Un pique-nique dans la toundra.

Mode de vie traditionnel : _La façon de transporter le bébé_
- _Manteau traditionnel_
- _Broderie sur les manteau._

Mode vie moderne : _-La glacière, boîte de conserve_
- _Bottes de caoutchouc_
- _Coussins, - Sac en plastique_
- _Espadrilles_

CARTE POSTALE

1 Nomme les trois territoires canadiens habités par les Inuits. Surligne celui qui est situé au Québec.

Nunavut, Nunavik et le Territoires du Nord-Ouest

2 Les Inuits vivent dans les deux zones climatiques les plus froides du Canada, la zone arctique et la zone subarctique. Complète le tableau suivant.

	Zone arctique	Zone subarctique
Température moyenne	Hiver : *-25°C* Été : *5°C*	Hiver : *-20°C* Été : *10°C*
Végétation	*lichens, mousses et arbustes nains*	*L'épinette noire, petits conifères comme le mélèze*

3 Remplis la fiche ci-dessous.

Les Inuits

Langue : *Inuktitut*

Religion : *Catholique, Anglicane, religion traditionnelle*

Principales occupations :

Le tourisme, la pêche, la chasse, artisanat, piégeage, construction, transport aérien, industries minières et pétrolières,

Sagmai

4 Pourquoi la presque totalité des Inuits parlent-ils encore leur langue maternelle ?

Car c'est un peuple isolé.

5 L'ouverture des coopératives a modifié les habitudes alimentaires des Inuits. Que mangent-ils aujourd'hui qu'ils ne mangeaient pas autrefois ?

Variété de fruits et les légumes et des viandes

Micmacs et Inuits, peuple de la mer et peuple du Nord

Deux peuples autochtones différents l'un de l'autre.

1 Observe attentivement les photos ci-dessous. Quel peuple a conservé un mode de vie plus traditionnel ? Justifie ta réponse.

Les Inuits car les Micmacs sont moins isolés. Ils vivent dans des réserves

Une famille inuite à Kuujjuaq en 1896.

ANC-C5591

Canot micmac sur la rivière Ristigouche en 1878.

BNQ

Une famille inuite vers 1980.

Sagmai

Les Micmacs pêchent aujourd'hui sur des bateaux modernes.

Collection particulière

Un pique-nique inuit dans une région isolée du Grand Nord.

MEQ

Un pique-nique micmac en Gaspésie.

MEQ

ESCALE 4 · Micmacs et Inuits, peuple de la mer et peuple du Nord

Les premiers habitants du Canada

Les Micmacs et les Inuits sont des Autochtones, c'est-à-dire qu'ils résidaient sur le territoire qu'on appelle aujourd'hui le Canada bien avant que les Européens ne viennent s'y installer. Les Micmacs font partie de la catégorie des Amérindiens mais pas les Inuits.

Comme la *Loi sur les Indiens* ne couvre pas les Inuits, ces derniers sont considérés comme n'importe quel autre citoyen du Canada. Ils ne sont donc pas soumis à cette loi de 1876 qui régit le statut des Amérindiens du pays et ils ne vivent pas dans des réserves.

Le principal moyen de transport dans l'Arctique est l'avion.

Droits territoriaux et pouvoir politique

Les Micmacs, comme la plupart des autres Amérindiens, sont entrés en contact très tôt avec les Européens. Ces derniers les ont chassés de la plus grande partie de leurs terres ancestrales pour s'y installer. Les Micmacs ont donc dû accepter de signer des traités territoriaux qui leur ont fait perdre beaucoup de leur pouvoir politique et économique. Pour conserver les privilèges associés à leur statut, ils doivent vivre sur des réserves où ils ont très peu d'autonomie.

Les Inuits, au contraire ont vécu très isolés des Européens, puis des Canadiens, jusqu'au milieu du 20e siècle. N'ayant jamais signé de traités avec les Blancs, ils se sont organisés politiquement et ont pu conserver une certaine autonomie sur les territoires qu'ils habitaient depuis toujours. C'est ainsi qu'ils ont négocié la création du Nunavut. Une bonne partie de l'Arctique canadien leur appartient et ils jouissent d'un pouvoir politique certain sur leurs territoires.

Cette différence de statut se reflète, par exemple, dans l'éducation. Ainsi, l'éducation des jeunes Amérindiens relève du gouvernement fédéral, tandis que celle des jeunes Inuits relève des gouvernements provinciaux.

Difficultés économiques

Les Micmacs et les Inuits vivent tous les deux de grandes difficultés économiques. L'Arctique est encore sous-développé sur le plan économique et on y trouve peu d'emplois. Dans les réserves micmaques, il n'y a pratiquement aucun employeur. Les Micmacs doivent le plus souvent se résoudre à accepter des emplois saisonniers à bas salaires.

La grande popularité des sculptures dans la pierre à savon permet à beaucoup d'Inuits de vivre de leur art.

Il y règne une grande pauvreté tout comme dans les villages inuits. Le niveau d'instruction est moins élevé chez les deux peuples que celui de la moyenne canadienne. En conséquence, les emplois qualifiés leur sont souvent peu accessibles. Le chômage est aussi important dans les réserves micmaques que dans les villages inuits.

← 9 ans de scolarité

2 Qui sommes-nous ?

Nous sommes deux peuples autochtones du Canada, c'est-à-dire que nous occupions ce territoire bien avant que les Européens ne viennent s'y installer.	*Les Micmacs et les Inuits*
Nous sommes soumis à la *Loi sur les Indiens*.	*Les Micmacs*
Nous devons vivre dans des réserves pour conserver les privilèges associés à notre statut.	*Les Micmacs*
Nous avons le même statut légal que tout autre citoyen canadien non amérindien.	*Les Inuits*
Une bonne partie de l'Arctique canadien nous appartient et nous jouissons d'un pouvoir politique sur nos territoires.	*Les Inuits*
Notre système d'éducation relève du gouvernement fédéral.	*Les Micmacs*
Notre système d'éducation relève des gouvernements provinciaux.	*Les Inuits*
Nous vivons de grandes difficultés économiques.	*Les Inuits et les Micmacs*
Notre niveau d'instruction est moins élevé que celui de la moyenne canadienne.	*Les Inuits et les Micmacs*

Cultures en danger

La religion

Les religions inuite et micmaque se ressemblent sur le plan des croyances traditionnelles. Les deux peuples ont subi l'influence des missionnaires venus les convertir. Dans les deux cas, la spiritualité pratiquée dans les années 1980, correspond à un mélange plus ou moins grand de croyances et de rites chrétiens et traditionnels.

Célébrations de la fête de Sainte-Anne chez les Micmacs.

Mi'gmawei Mawiomi

119

La langue

Les deux peuples ont dû apprendre une autre langue que leur langue maternelle. Comme ils vivaient majoritairement entourés d'anglophones, ils ont appris l'anglais. Cependant, parce que les Inuits ont vécu isolés du reste du Canada beaucoup plus longtemps que les autres Autochtones, ils ont continué à parler l'inuktitut jusqu'à aujourd'hui. Les Micmacs, de leur côté, ont dû faire de grands efforts pour continuer à parler leur langue.

Traditions ancestrales et modernité

Dans les années 1950, le mode de vie ancestral et le système de valeurs des Inuits ont été profondément bouleversés avec la fin de leur isolement. Les Micmacs, eux, ont vécu ces grands bouleversements quelques siècles plus tôt. Comme ils ont été forcés de vivre dans des réserves, ils ont eu beaucoup plus de difficultés à développer et à préserver leurs traditions. Les Inuits et les Micmacs qui étaient nomades sont devenus sédentaires. Dans les années 1960 et 1970, les Micmacs ont vécu un regain d'attachement à leurs traditions, une forme de retour aux sources. Au même moment, les Inuits commençaient à s'organiser politiquement afin de faire reconnaître leurs droits.

Aujourd'hui, si les Inuits ont plus d'autonomie politique et économique, les deux peuples se ressemblent dans la mesure où ils cherchent toujours à conserver un équilibre précaire entre le mode de vie traditionnel et l'adaptation à la modernité. Le développement d'une industrie touristique et artistique basée sur la transmission de leur patrimoine est peut-être une façon de maintenir cet équilibre entre la vie traditionnelle et la vie moderne.

La construction d'un wigwam micmac permet de renouer avec la vie traditionnelle.

Patrimoine : traces laissées

Le traîneau à chiens n'a pas été tout à fait remplacé par la motoneige.

POUR ALLER PLUS LOIN

La musique fait partie de la culture d'un peuple. Plusieurs chanteurs et chanteuses autochtones sont populaires. Peut-être fredonnes-tu leurs chansons sans connaître l'origine de ceux et celles qui les interprètent. Informe-toi afin de connaître ces chanteurs et chanteuses. Essaie aussi de trouver de la musique autochtone traditionnelle.

3 Si tu étais Micmac ou Inuit, quels moyens pourrais-tu prendre afin de conserver ta langue et tes traditions?

-Continuer de parler la langue. -L'apprendre à notre génération.
-Exiger qu'elle soit enseigner à l'école -

4 Compare la nation micmaque à la nation inuite vers 1980.

	Différences	Ressemblances
Religion		-Les 2 ont des croyances traditionnelles -Les 2 ont des rites catholiques et traditionnels
Langue	Les Micmacs ont de la difficultés à garder leur langue. Les Inuits ont continué à parler l'Inuktitut.	Ils ont appris une autre langue.
Mode de vie	Dans les réserves, les Micmacs ont eu beaucoup plus de difficultés à développer et à préserver leurs traditions que les Inuits, mais ils ont vécu un regain d'attachement à leurs traditions. Les Inuits ont plus d'autonomie et politique.	Les 2 peuples sont devenus sédentaires. Les deux peuples ont vécu de grands bouleversements dans leur mode de vie ancestral et leur système de valeurs, les Micmacs, il y a quelques siècles et, les Inuits, après 1950. L'équilibre est précaire quant aux modes de vie.

En bref

Les Inuits et les Micmacs sont des Autochtones. Les Micmacs ont un statut particulier s'ils vivent sur les réserves où ils ont très peu d'autonomie. Les Inuits n'ont pas de statut particulier, mais ils conservent une certaine autonomie sur leurs territoires. Les Inuits et les Micmacs vivent de grandes difficultés économiques. Les Inuits parlent l'inuktitut et ont conservé plus facilement leurs traditions que les Micmacs qui doivent faire de grands efforts pour préserver leur langue et leurs traditions. Les deux peuples parlent anglais et leur religion chrétienne est associée à des rites et des croyances traditionnels.

121

Le 21 juin, le Canada célèbre la Journée nationale des Autochtones qui coïncide avec le solstice d'été célébré depuis des millénaires.

Lors de cette journée, tous les Canadiens et Canadiennes sont invités à reconnaître la diversité culturelle et la contribution remarquable des membres des Premières nations, des Inuits et des Métis.

5 Prépare une affiche pour inviter tes camarades à cette fête. Illustre ton affiche avec cinq objets, encore utilisés aujourd'hui, et qui appartiennent au patrimoine des nations micmaque et inuite. Il peut s'agir de nourriture, d'équipement sportif ou de loisirs, de vêtements, etc.

Informe-toi auprès des nations autochtones de ta région ou auprès du ministère des Affaires indiennes et du Nord canadien.

CARTE POSTALE

Associe chaque société aux caractéristiques qui la définissent.

	Micmacs	Inuits
Ce sont des Autochtones.	▬	▬
Ils font partie de la catégorie des Amérindiens.	▬	
Ils vivent dans des réserves.	▬	
Ils sont considérés comme n'importe quel autre citoyen du Canada.		✕
Ils ont été chassés de la plus grande partie de leurs terres ancestrales par les Européens qui s'y sont installés.		
Ils ont signé des traités territoriaux qui leur ont fait perdre beaucoup de leur pouvoir politique et économique.	▬	
Une bonne partie de l'Arctique canadien leur appartient et ils jouissent d'un pouvoir politique certain sur leurs territoires.		▬
Ils étaient nomades et ils sont devenus sédentaires.	▬	▬
Leur éducation relève des gouvernements provinciaux.		▬
Leur éducation relève du gouvernement fédéral.	▬	
Ils vivent de grandes difficultés économiques.	▬	▬
Leur niveau d'instruction est moins élevé que celui de la moyenne canadienne.	▬	▬
Leur spiritualité correspond à un mélange plus ou moins grand de croyances et de rites chrétiens et traditionnels.	▬	▬
Ils ont dû apprendre une autre langue que leur langue maternelle.	▬	
Ils ont dû faire de grands efforts pour continuer à parler leur langue.	▬	
Ils ont continué à parler leur langue jusqu'à aujourd'hui.		▬
Dans les années 1960 et 1970, ils ont commencé à s'organiser politiquement afin de faire reconnaître leurs droits.		▬
Ils ont eu beaucoup de difficultés à préserver leur culture, mais dans les années 1960 et 1970, ils ont vécu un regain d'attachement à leurs traditions.	▬	
Il y a quelques siècles, leur mode de vie ancestral et leur système de valeurs ont été profondément bouleversés.	▬	
Depuis 1950, leur mode de vie ancestral et leur système de valeurs ont été profondément bouleversés.		▬
Ils cherchent toujours à conserver un équilibre entre le mode de vie traditionnel et l'adaptation à la modernité.	▬	▬

ESCALE 4 · Micmacs et Inuits, peuple de la mer et peuple du Nord

GLOSSAIRE

arable : qui peut être cultivé.

avide (être) : désirer très fortement.

confiner : forcer quelqu'un à rester à un endroit.

cosmopolite : qui comprend des personnes originaires de tous les pays.

décimer : faire mourir un grand nombre de personnes.

enclaver : entourer complètement.

escarpement : pente raide

génocide : destruction de tout un peuple.

hameau : petit regroupement de maisons.

hôte : personne ou organisme qui donne l'hospitalité.

immobilisme : contre le progrès.

intrinsèques (droits et libertés) : qui appartiennent à l'être humain.

laïcisation : rendre laïc, enlever le caractère religieux.

larguer : lâcher.

libérales (idées) : idées de tolérance, d'ouverture sur le monde.

métropole : centre industriel et financier, ville importante.

omble : truite.

omniprésent : présent partout.

péninsule : grande presqu'île.

portuaire : du port.

préséance (avoir) : passer avant.

prôner : prêcher.

rationner : limiter la quantité que chacun peut utiliser.

référendum : vote.

renflouer : remettre à flot.

réserve : territoire alloué aux Amérindiens par le gouvernement fédéral.

tranchée : fossé long et étroit creusé dans le sol.

tributaire : dépendant.

us et coutumes : habitudes.

vitalité : énergie, vigueur.